Universale Economica Feltrinelli

GIANNI CELATI

NARRATORI DELLE PIANURE

Feltrinelli

Prima edizione ne "I Narratori Feltrinelli" giugno 1985
Prima edizione nell'"Universale Economica" maggio 1988
Quinta edizione giugno 2000

ISBN 88-07-81027-1

A quelli che mi hanno raccontato storie, molte delle quali sono qui trascritte.

CARTA DELLE PIANURE

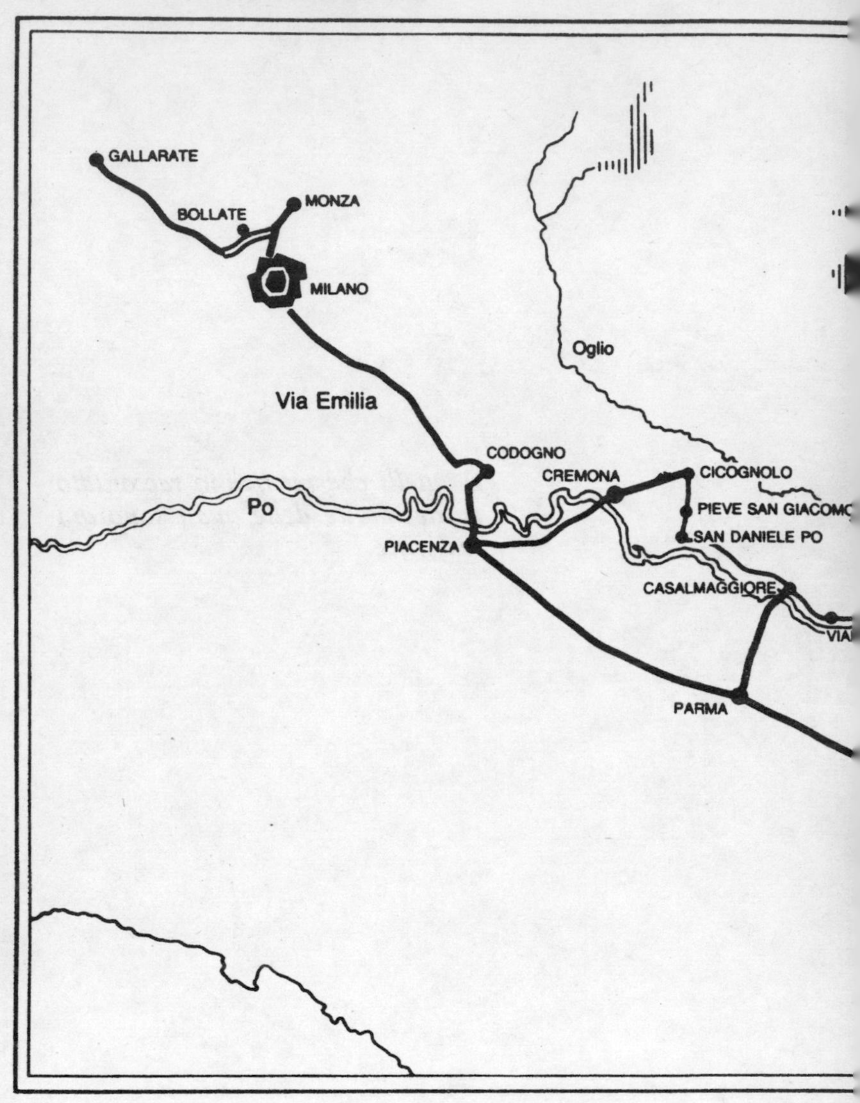

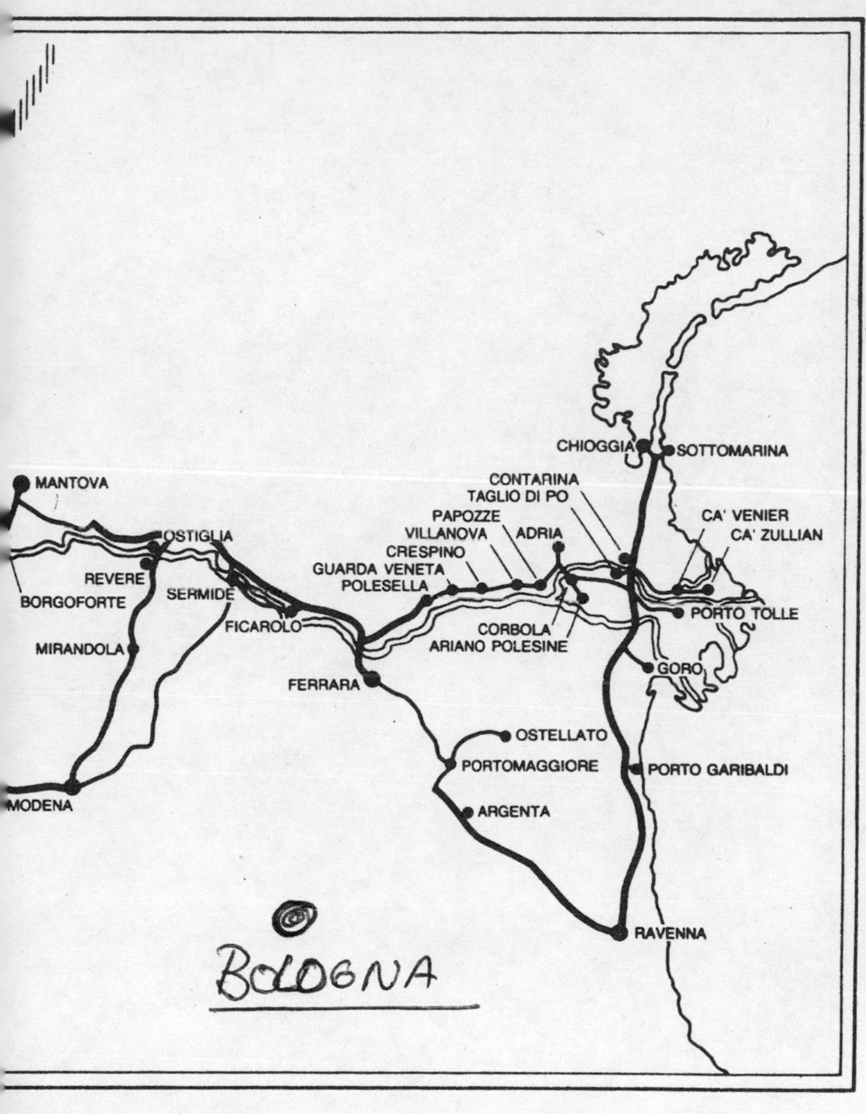
MANTOVA
OSTIGLIA
REVERE
BORGOFORTE
SERMIDE
FICAROLO
MIRANDOLA
MODENA
FERRARA
POLESELLA
GUARDA VENETA
CRESPINO
VILLANOVA
PAPOZZE
ADRIA
TAGLIO DI PO
CONTARINA
CHIOGGIA
SOTTOMARINA
CA' VENIER
CA' ZULLIAN
PORTO TOLLE
CORBOLA
ARIANO POLESINE
GORO
OSTELLATO
PORTOMAGGIORE
PORTO GARIBALDI
ARGENTA
RAVENNA
BOLOGNA

L'ISOLA IN MEZZO ALL'ATLANTICO

Ho sentito raccontare la storia d'un radioamatore di Gallarate, provincia di Varese, il quale s'era messo in contatto con qualcuno che abitava su un'isola in mezzo all'Atlantico. I due comunicavano in inglese, lingua che il radioamatore italiano capiva poco. Capiva però che l'altro aveva sempre voglia di descrivergli il luogo in cui abitava e di parlargli delle coste battute dalle onde, del cielo che spesso era sereno benché piovesse, della pioggia che su quell'isola scendeva orizzontalmente per via del vento, e di ciò che vedeva dalla sua finestra.

Per capire meglio, il radioamatore italiano ha cominciato a registrare le loro conversazioni e a farsi poi tradurre i nastri dalla sua fidanzata, che sapeva l'inglese meglio di lui.

L'uomo desiderava solo parlargli dell'isola. Con lui il radioamatore non riusciva mai a scambiare notizie tecniche o notizie su altri radioamatori sparsi nel mondo, come di solito avviene. E quando a volte tentava di chiedergli chi era, cosa faceva, se era nato lì o c'era arrivato da poco, quello evitava le domande come se non volesse sentirle. Di lui il ragazzo di Gallarate era riuscito soltanto a sapere che si chiamava Archie, che viveva con la moglie, e che ogni giorno percorreva l'isola in lunghe passeggiate.

Riascoltando più volte i nastri registrati e parlandone con la fidanzata, a poco a poco è successo che il radioamatore italiano cominciasse a immaginare quell'isola come se l'avesse vista con i propri occhi.

Era come se la vedesse là fuori, che si stendeva concava sotto la casa di Archie, posta in un punto sopraelevato. Una strada faceva una lunga curva tra prati dove pecore e vacche pascolavano senza recinti, e a destra un promontorio non molto alto era tutto coperto d'erica. A sinistra coste rocciose interrotte a tratti da spiagge sopraelevate a picco sul mare, fino a un piccolo altopiano che sbarrava l'orizzonte; e laggiù si distinguevano alcune fattorie sparse.

Guardando a sinistra, verso il mare, nei giorni sereni sembrava si potesse scorgere la curvatura della terra, arrivando con l'occhio alla forma indistinta d'un faro che, secondo Archie, era il punto più lontano ad ovest del continente, in mezzo all'Atlantico.

Neppure il nome di quell'isola era mai pronunciato da Archie, il quale invece gli parlava ogni volta delle sue passeggiate, dando per scontati molti aspetti del luogo, come se il ragazzo di Gallarate abitasse nella casa accanto. Ma esisteva una casa accanto? ed esisteva quell'isola?

Riascoltando un nastro assieme alla fidanzata, e dopo una delle solite descrizioni del luogo, un giorno il radioamatore sentiva questa frase pronunciata a bassa voce da Archie: "Tutto questo non lo vedrò più."

Ormai quel contatto, le parole del corrispondente lontano e le immagini dell'isola, occupavano molto i pensieri dei due fidanzati. Ma il contatto era anche imbarazzante per il giovane radioamatore, perché lui continuava a non sapere niente d'un uomo con cui parlava da mesi, e ormai non osava più fargli domande. E dopo aver ascoltato quella frase non se la sentiva di chiedergli spiegazioni, immaginando che l'altro come al solito non gli avrebbe risposto.

In quel periodo gli è stato regalato un piccolo apparecchio con cui poteva localizzare i suoi contatti radio. Così è riuscito a localizzare l'isola al largo delle coste scozzesi.

Almeno adesso sapeva dove fosse la casa di Archie, ma cosa stava per accadere a quell'uomo?

Se per qualche motivo i suoi occhi non avrebbero più potuto vedere l'isola, allora il suo desiderio di parlarne finché riusciva a vederla era comprensibile. Ma il giovane radioamatore, non potendo fare domande, era sempre più imbarazzato con Archie. Così negli ultimi contatti non lo ascoltava neanche più, accendeva il registratore e lo lasciava parlare da solo.

Per questo motivo s'è accorto soltanto un mese dopo, dopo che per un mese non aveva più ricevuto segnali dal suo corrispondente né l'aveva cercato, che nell'ultimo nastro Archie lo salutava, lo ringraziava di averlo ascoltato, e diceva che avrebbe lasciato l'isola l'indomani.

Sono passati otto mesi. I due fidanzati hanno finito il liceo e sono andati a fare un viaggio. Hanno raggiunto Glasgow e di lì, con un trenino, la piccola città di Oban sulla costa occidentale scozzese. Da Oban un battello li ha portati sull'isola di Archie.

Quando sono sbarcati hanno subito ritrovato la lunga strada che faceva un percorso circolare attorno al promontorio coperto d'erica. Riconoscevano quasi tutto e riuscivano ad orientarsi come se ci fossero già stati. Riconoscevano un punto in cui la costa era mangiata dal mare, e le rocce ignee sparivano con l'alta marea. Al di sopra di quel punto il terreno s'innalzava in un piccolo promontorio erboso, sul quale doveva sorgere la casa di Archie.

C'era infatti un cottage, e dietro il cottage una vecchia casa in pietra grigia con porta molto bassa. Nel cottage ci abitava un uomo biondo con una moglie bionda. Non sapendo come affrontare il discorso su Archie, i fidanzati hanno chiesto se lì c'erano case da affittare, e l'uomo biondo ha offerto loro la vecchia casa in pietra grigia che aveva appena finito di rendere abitabile.

Si installavano dunque in quella casa i fidanzati; e, giorno dopo giorno, vagando per l'isola ritrovavano i punti descritti da Archie. Ritrovavano la città dei conigli selvatici, una duna piena di tunnel che sembrava una metropoli sotterranea. Ritrovavano il sentiero lastricato sul promontorio coperto d'erica, dove un giorno Archie aveva visto le ossa e il vello d'una pecora aggredita da uno sparviero e dove altre volte aveva visto le capre selvatiche, alte un metro e mezzo, che abitano quel promontorio. Ritrovavano una vasta spiaggia sopraelevata sulla costa orientale, che l'anno prima era per metà crollata in mare.

Alla sera andavano a guardare la televisione nel cottage dei coniugi biondi. Lei si chiamava Susan e lui si chiamava Archie.

Parlando parlando con Susan e Archie sono riusciti finalmente ad affrontare l'argomento che stava loro a cuore. E allora, quando il padrone di casa ha saputo che il ragazzo era quel corrispondente lontano, gli ha raccontato la storia di Archie.

Archie era un poliziotto di Glasgow, che una notte aveva sparato a un ragazzo colpendolo al cuore. Era stato un incidente, ma Archie si considerava colpevole di sciatteria nei propri gesti, per poca attenzione a ciò che gli stava attorno, per disprezzo di ciò che vedeva in quegli infami quartieri della periferia di Glasgow.

Quella notte era stato sorpreso sul fatto da un altro poliziotto, suo amico. Archie s'era riconosciuto colpevole, ma aveva anche detto all'amico di non essere pronto ad affrontare il carcere. Gli aveva chiesto di lasciarlo andare per cinque anni, a vivere con sua moglie da qualche parte; dopo di che sarebbe tornato a farsi arrestare. L'amico aveva acconsentito.

Così l'uomo era venuto ad abitare su quell'isola. Erano trascorsi cinque anni, durante i quali egli aveva imparato a osservare ciò che gli stava attorno per rendere attenti i propri gesti e pensieri, ed era tornato a Glasgow a farsi arrestare.

I fidanzati a questo punto erano confusi: chi era Archie? E chi era il loro padrone di casa che sapeva tutta quella storia e si chiamava anche lui Archie?

Non subito, solo qualche sera dopo, il loro padrone di casa ha spiegato che lui era l'altro poliziotto, quello che aveva permesso ad Archie di andarsene per cinque anni. Dopo quell'episodio, e dopo l'arresto di Archie, non aveva più voluto fare il poliziotto e s'era messo in pensione, venendo ad abitare nel cottage di Archie. Per una coincidenza, si chiamava anche lui Archie.

L'inverno successivo i fidanzati di Gallarate ricevevano una lettera. Il loro padrone di casa li informava che Archie era stato assolto e stava per tornare sull'isola. I suoi superiori gli avevano impedito di dichiararsi colpevole, e quell'omicidio era stato considerato un semplice incidente sul lavoro, come tanti altri omicidi senza importanza in quei quartieri di Glasgow.

Adesso i due amici, Archie e Archie, si sarebbero messi ad allevare pecore. Se i fidanzati capitavano da quelle parti, sarebbero stati sempre i benvenuti.

RAGAZZA GIAPPONESE

Racconterò la storia d'una ragazza giapponese che ho conosciuto a Los Angeles.

Era piccola, minuta, e abitava a nord della città, già vicina al deserto. Per arrivare a casa sua bisognava uscire dalle freeway dell'area metropolitana, passare sopra immensi ponti affollati di camion e macchine su otto corsie, prendere una exit verso il nord e ritrovarsi in un canyon, andare avanti fino ad una Arco Station, girare a destra su per una collina.

Giunta negli Stati Uniti quando aveva 15 anni, s'era sposata quasi subito con un tale di New York e aveva imparato a fare la sarta. S'era presto separata da quel tale, e aveva cominciato a consultare ogni settimana un signist, o consigliere zodiacale, per sapere cosa doveva fare nella vita.

Il consigliere zodiacale le aveva suggerito che, data la posizione di certi astri, l'est non era per lei confacente e sarebbe stato meglio per lei abitare all'ovest. Perciò la ragazza s'era trasferita da New York a Los Angeles; qui ha trovato un appartamento nel downtown ed è diventata stilista di moda.

Continuava a consultare ogni settimana per telefono il

suo consigliere zodiacale di New York, il quale un giorno le ha detto che per lei sarebbe stato più confacente vivere in una zona collinare. Così la ragazza s'era trasferita al limite nord della città, in una zona alta e non lontana dal deserto.

Cuciva vestiti dalla mattina alla sera nel suo appartamento, assieme a una studentessa filippina che abitava al piano di sotto. L'appartamento era un lungo stanzone senza divisorie, con una pertica piena di abiti tra due muri in fondo, molti manichini, filo e stoffa dovunque, due brande con sovracoperte orientali, un tavolino per il trucco, un tavolo e quattro sedie di formica, un frigo e una cucina a gas. Un televisore sempre acceso era in cima a una colonnina di falso marmo.

Ogni pomeriggio alle cinque e mezza si sedeva al tavolino del trucco e cominciava a truccarsi davanti a uno specchio incorniciato di bambù, fumando marijuana per distendersi. Di solito adottava un trucco tradizionale giapponese, col volto tutto bianco e le labbra e sopracciglia disegnate con finezza; per fare quel trucco ci metteva un'ora e mezza, e a volte il disegno non era esatto e doveva ricominciare il lavoro tutto da capo. Nel vestiario invece adottava uno stile europeo d'altri tempi, con cappellino a veletta.

Ogni sera andava in una sala di registrazione, ad assistere dietro un vetro alle prove di registrazione di qualche cantante celebre. Durante la giornata telefonava di continuo per procurarsi dei pass e poter accedere a qualche sala di registrazione. Quando telefonava si presentava con il nome francese che aveva assunto da quando era stilista di moda.

Appeso alla parete teneva un calendario, dove segnava le diverse sedute di registrazione per le quali s'era già procurata un pass. Aveva quasi tutte le sere del mese impegnate in anticipo, da un mese all'altro; nelle caselle del calendario scriveva i nomi dei cantanti.

Dopo le sedute di registrazione andava a cena con manager di case discografiche, stilisti e pubblicitari che le avevano procurato dei pass. Una sera l'ho vista in un ristorante e l'ho sentita parlare di lavoro con il suo inglese da immigrata, che gli altri approvavano con cenni del capo come se fosse un compito ben fatto.

Al giovedì sera alcuni di quegli stilisti e pubblicitari andavano a pattinare dalle parti di Cahuenga, credo, e anche la ragazza giapponese andava a pattinare il giovedì sera in quel posto lontanissimo, dove una volta ha visto l'attrice del cinema Shelley Duval.

Dalle sue finestre di notte si scorgevano le luci delle macchine che percorrevano la freeway esterna ai piedi dei colli, mentre più lontano c'era una città sconfinata di cui la ragazza conosceva solo poche strade, come me e come tutti.

Ha conosciuto degli italiani a Los Angeles per lavoro, una giornalista di moda, una stilista e un giovane industriale delle camicie, che abitavano in una dépendance del Marmont Hotel, sul Sunset Boulevard. E andando a trovare i suoi nuovi amici italiani, una domenica mattina la ragazza ha visto l'attore del cinema Anthony Perkins che prendeva il sole sul prato dell'albergo.

Al Marmont Hotel il giovane industriale delle camicie cercava di farle la corte; ma per serate intere la ragazza giapponese sembrava non accorgersi che lui avesse mai detto qualcosa, parlando soltanto con la stilista e la giornalista italiane.

Le tre donne discutevano spesso dei celebri attori del cinema visti in giro, senza però mai riuscire a ricordarsi i nomi dei film che avevano interpretato.

Allora interveniva il giovane industriale delle camicie, il quale ricordava tutti i nomi dei film, i registi e anche le date; ma la ragazza giapponese sembrava che non lo sentisse, e le altre due erano poco interessate a queste cose.

Così, prima lui s'è demoralizzato perché la giapponese non lo guardava mai, poi s'è rassegnato e non cercava neanche più di prender parte alle loro conversazioni.

Durante l'estate successiva la ragazza è venuta a Milano, e ha portato con sé alcuni dei suoi modelli. I modelli sono piaciuti molto a un grande industriale della moda, il quale le commissionava una serie di venti prototipi, che però avrebbero dovuto essere confezionati in Italia.

La ragazza ha telefonato al suo consigliere zodiacale di New York, il quale le ha suggerito di trovare un appartamento che fosse ad almeno dieci miglia dal limite della città. Dopo una lunga ricerca, e aiutata dalla stilista italiana conosciuta a Los Angeles, trovava un appartamento a Bollate, esattamente a dieci miglia dal limite ovest della città, in un grande blocco di nuove costruzioni perse in aperta campagna.

Poco dopo la stilista italiana ha dato una festa a casa sua, a Milano, invitando anche la ragazza giapponese e il giovane industriale delle camicie. Durante la festa la ragazza ha fumato marijuana e ha bevuto per tutta la sera, così alla fine doveva essere accompagnata alla macchina.

S'è offerto di accompagnarla il giovane industriale, che cercava ancora di farle la corte.

Poi lui stava facendo segnalazioni per permetterle di retrocedere dall'angolo di via Bigli in via Manzoni, e di partire.

Lei partiva investendolo, come se non si fosse mai accorta della sua presenza.

Quando la stilista è andata a trovarlo all'ospedale, il giovane industriale infortunato ha detto che era tutta colpa sua; perché da tempo s'era reso conto che la ragazza giapponese faceva proprio fatica ad accorgersi di lui, a vederlo, e vedendolo ogni volta doveva fare molti sforzi per riconoscerlo.

Ha parlato anche di predestinazioni, dicendo che ognuno va per la sua strada prescritta, ognuno fa quello che può, e forzare una predestinazione può essere pericoloso.

Ogni mattina, a Bollate, per andare a far la spesa la ragazza giapponese doveva passare davanti a una lunghissima fortezza di cemento in mezzo ai campi, che sembrava una grande prigione per le sue strane torrette con lo spigolo verso l'esterno come nelle prigioni. Questo era un quartiere di immigrati, per lo più siciliani, e gli uomini senza lavoro di quel quartiere andavano a sostare davanti a un bar a qualche centinaio di metri dalla fortezza, restando lì tutto il giorno senza saper cosa fare; quando la giapponese passava, tutti gli occhi dei disoccupati la seguivano finché lei non scompariva dietro l'angolo.

Ho saputo che in quel posto s'è trovata bene, e non ha mai fatto molto caso a quella fortezza che sembra una prigione, né agli occhi dei disoccupati che la seguivano appena usciva di casa. I suoi modelli hanno avuto successo, e tutto è andato come previsto dal consigliere zodiacale di New York.

Al giovane industriale delle camicie sarebbe piaciuto sposarla, ma la predestinazione non permetteva.

BAMBINI PENDOLARI CHE SI SONO PERDUTI

Salivano in treno a Codogno tutti i venerdì, e il bambino andava a Milano perché i suoi genitori erano separati; doveva passare cinque giorni col padre a Codogno e il fine settimana a Milano con la madre. La bambina andava a Milano perché era in cura da uno psicanalista, per un suggerimento di qualche dottore, che suo padre aveva trovato giustissimo.

Lei forse aveva 13 anni, lui forse 11. Siccome a casa entrambi si annoiavano sempre a sentir parlare i loro genitori, s'erano formati l'idea che i genitori sono tutti noiosi. Poi hanno sviluppato l'idea, giungendo alla conclusione che tutti gli adulti sono noiosi. Infine alcune circostanze li hanno portati a credere che genitori e adulti, più che noiosi, sono cretini: veramente così cretini che non val la pena di badare a ciò che dicono o fanno.

È successo così. Durante il fine settimana a Milano, i due bambini andavano in giro per vedere se riuscivano a individuare per strada qualcuno che non fosse noioso, e ad esempio seguivano qualcuno sugli autobus o in metropolitana facendo scommesse: "Scommettiamo che quello lì non è noioso." E tenevano i conteggi delle scommesse scritti su un taccuino.

Però poi si annoiavano moltissimo, soprattutto in metropolitana a osservare la gente che non sa mai dove mettersi perché ha sempre paura che gli altri la guardino, o quelli che vogliono far capire agli altri che loro se ne infischiano di tutto, o quelli che vogliono far capire agli altri che loro sono stanchissimi di tutto. Queste cose facevano venir loro la malinconia.

Poi facevano venir loro la malinconia gli automobilisti che suonano il claxon per far vedere che loro hanno fretta; quelli per strada che spingono per far vedere che vanno per i fatti loro; quelli nei bar che discutono di cose che non interessano a nessuno, solo per far vedere come sanno parlare; quelli che ridono quando non c'è niente da ridere, solo per far vedere che hanno capito tutto; quelli nei negozi che guardano da un'altra parte, per far vedere che loro non hanno tempo da perdere; le donne che guardano da un'altra parte per far vedere che si lasciano ammirare, ecc.

In pratica tutto quello che vedevano andando in giro faceva venir loro la malinconia, ed era la stessa malinconia che veniva loro quando erano a casa e sentivano parlare i loro genitori o parenti.

A forza di annotare scommesse, hanno consumato il taccuino senza che nessuno dei due ne avesse mai vinta una, perché tutti gli adulti che vedevano erano noiosi.

Hanno seguito un vecchio che sembrava simpatico, fino in fondo a viale Corsica. Ad un tratto il vecchio è crollato a terra, loro sono corsi a sollevarlo, ma il vecchio non li ascoltava ed era solo preoccupato per il suo cappotto: "Mi sarò sporcato il cappotto di dietro," diceva. E siccome non badava a loro che gli chiedevano come stava e se poteva camminare, e invece pensava solo al suo cappotto, l'hanno piantato lì. Dopo pochi passi il vecchio è crollato a terra di nuovo, e dei passanti hanno detto che era morto d'infarto. Anche quel vecchio era noioso.

Un'altra volta hanno seguito per corso Magenta una donna tutta vestita di nero con grandi occhiali da sole, che al bambino sembrava simpatica. Ma quando è arrivata a un posteggio e ha dato dei soldi al posteggiatore dicendo: "Tenga", da come ha detto quell'unica parola loro hanno capito che era una donna noiosissima. Tanto che al bambino è venuto il disgusto in bocca a pensarci.

Un'altra volta ancora hanno visto un tizio con l'aria da ubriaco, e l'hanno seguito in metropolitana fino a un quartiere di cui non dirò il nome. In quel posto il tizio s'è andato a sedere su un gradino assieme ad altri che sembravano ubriachi come lui, e stavano lì tutti seduti con la testa che penzolava in avanti. In quel momento si sono sentiti degli spari, poi qualcuno indicava una macchina che fuggiva e anche i bambini sono scappati a più non posso, temendo che sparassero ancora.

Mentre correvano una macchina s'è affiancata e un uomo ha detto: "Salite in fretta." In macchina hanno spiegato l'accaduto e l'uomo ha raccontato che in quel quartiere succedeva spesso che, quando quelli della mafia dovevano provare delle armi, passavano di lì e sparavano ai drogati seduti sul gradino.

L'uomo sembrava simpatico, e li ha invitati a cena a casa sua. Abitava in un posto molto lontano ma bello, a ovest dell'aeroporto della Malpensa, dove c'è una centrale elettrica e intorno boschi dappertutto, case isolate tra i boschi.

I bambini hanno pensato fosse un professore, per i libri che riempivano quasi tutto un salone. A tavola ha parlato per due ore di cose che loro non capivano, ed è parso loro più intelligente del normale. Si sono addormentati mentre quello continuava ancora a parlare.

Un'ora dopo stavano scappando nella notte attraverso i boschi, perché quando s'erano addormentati quello aveva cominciato a toccare le gambe della bambina, e dopo quando gli tiravano dei libri in testa lui faceva finta di ridere, dicendo: "Era uno scherzo."

I due bambini mi hanno raccontato che quella volta sono scappati più che altro perché quell'adulto sembrava loro così cretino, da far venire anche lui il disgusto in bocca a pensarci.

Adesso erano già cambiati, dopo queste avventure. Non facevano più il gioco delle scommesse scritte sul taccuino, ma andavano sempre a far dei giri nel fine settimana a Milano.

E una domenica di dicembre, andando a far dei giri in un quartiere di grandi palazzi condominiali appena costruiti, credo dalle parti di Monza, tra folate di nebbia hanno incontrato una donna che s'era perduta.

Era una donna di mezz'età, in tuta sportiva, con berretto di lana in testa; quella mattina era uscita a correre, e non riusciva più a trovare la strada per tornare a casa. Faceva domande a tutti quelli che incontrava, dicendo di abitare in un lungo caseggiato come quelli che si vedevano in distanza, identici in tutto il quartiere.

I due bambini capitati lì per caso hanno sentito che ripeteva a tutti il nome della sua strada, aggiungendo ogni volta: "Fabbricato G, interno 38." S'era formato attorno a lei un capannello, e alcuni ragazzi indicavano una fila di caseggiati bianchi, come se sapessero dov'era il fabbricato G.

Subito dopo la donna si avviava in quella direzione, seguita da un corteo di ragazzi, signori col cane, gente in tenuta sportiva.

Anche i due bambini si sono accodati a quel corteo di soccorritori.

Arrivati sotto il peristilio d'un grandissimo fabbricato, che era effettivamente il fabbricato G, i soccorritori constatavano che il nome sul campanello dell'interno 38 non corrispondeva al nome della donna. Così tutti hanno cominciato ad andarsene, sia perché la ricerca era finita, sia perché era ora di pranzo.

I due bambini si sono ritrovati soli con la donna perduta, e seguendola sono usciti dal peristilio. Hanno attraversato un prato pieno di nebbia e dopo man mano che procedevano la nebbia aumentava, erano in altri quartieri di palazzoni grandissimi, e ormai anche loro avevano perso la strada.

Attraversavano larghi viali dove non passava nessuno, poi si ritrovavano in aperta campagna, e di nuovo in altri quartieri come i precedenti, dove la donna vagava senza meta. Ogni tanto la donna chiedeva loro delle informazioni sui cartelli stradali che vedeva, sui nomi delle località che attraversavano, e i bambini rispondevano: "Non siamo di Milano."

Appena fuori da un altro quartiere non vedevano più niente, dovevano essere in aperta campagna, stavano attraversando campi gelati, e intorno era tutto bianco: una nebbia così bianca come non l'avevano mai vista, ma anche così fitta che dovevano frugare col piede il terreno davanti a loro prima di fare un passo, perché non vedevano niente oltre il loro naso.

Hanno dovuto fermarsi. Nella nebbia voltandosi vedevano attorno a sé dovunque una grande parete bianca, in cui non riuscivano più a ritrovarsi l'un con l'altro, e neanche a vedere il proprio corpo, né a percepire bene un richiamo. Avevano freddo e si sentivano soli, ma non potevano andare né avanti né indietro, e dovevano restar lì, in quello stranissimo posto dove s'erano perduti.

Avevano fatto tanta strada venendo da lontano in cerca di qualcosa che non fosse noioso, senza mai trovar niente, e adesso per giunta chissà quanto tempo ancora avrebbero dovuto restare nella nebbia, col freddo e la malinconia, prima di poter tornare a casa dai loro genitori. Allora è venuto loro il sospetto che la vita potesse essere tutta così.

COSA È SUCCESSO A TRE FRATELLI CALCIATORI

Questa è la storia di tre fratelli che si sono rivelati bravissimi giocatori di calcio in un torneo di squadre per ragazzi. Di loro si parlava in tutta la periferia dove abitavano, e anche i fans di altre squadre li andavano a veder giocare alla domenica mattina in piccoli campi nei dintorni di Milano.

Uno aveva 17 anni, gli altri due erano gemelli di 15 e tutti tre giocavano all'attacco. A parte i tiri e il tocco della palla che sembravano già da professionisti, i tre soprattutto sapevano sempre pescarsi a vicenda con buoni lanci in zone smarcate, come se ognuno di loro sapesse sempre dove stavano correndo gli altri due anche senza cercarli con gli occhi.

Il presidente della loro squadra era un fruttivendolo, molto ricco perché aveva un posteggio ai mercati generali d'una città vicina, e sempre un po' misterioso per gli occhiali a specchio che portava quando seguiva le partite dei suoi calciatori. Era molto soddisfatto dei tre, li chiamava "i suoi campioncini".

I tre fratelli hanno fatto vincere molte partite alla sua squadra, e una volta sono andati a giocare in trasferta a

Milano, nel grande stadio di San Siro, prima d'una partita in notturna tra due squadre famose e internazionali.

A San Siro i tecnici delle due grandi società calcistiche della metropoli hanno visto giocare quei tre e si sono meravigliati; dopo la partita degli uomini vestiti di nero andavano a parlare con loro, chiedendo se se la sentivano di venire a Milano per potersi allenare con i ragazzi dell'allevamento d'una grande squadra.

Quando il fruttivendolo ha saputo che i suoi giocatori erano stati avvicinati dagli uomini vestiti di nero, è andato su tutte le furie. Infatti proprio allora anche lui stava organizzando un allevamento di ragazzi, in seguito ad un accordo con due società calcistiche molto note, e non voleva che nessuno mettesse gli occhi sui tre fratelli; anzi, si dava da fare perché i cronisti sportivi parlassero il meno possibile della loro bravura.

Per risolvere la questione è andato a trattare con i genitori dei tre e li ha convinti a firmare un contratto in base al quale i fratelli calciatori risultavano di sua proprietà, come calciatori, per due anni.

Sono cominciati gli allenamenti dei ragazzi prescelti per l'allevamento organizzato dal fruttivendolo.

Nella prima partita ufficiale i tre fratelli non hanno giocato bene, perché non si trovavano a loro agio con i compagni di squadra, e la loro squadra ha perso.

Hanno giocato male anche nella partita successiva e alla terza partita, mentre erano negli spogliatoi in attesa di entrare in campo, hanno cominciato a farsela addosso; erano seduti su una panchina e vedevano venir giù dalle loro gambe il liquido della diarrea. Così non hanno giocato e l'allenatore ha detto loro che questo succede spesso prima d'una partita importante, perché i ragazzi si emozionano.

La domenica dopo erano di nuovo in trasferta allo stadio di San Siro a Milano. C'è stata una scazzottatura a centrocampo tra due giocatori che venivano espulsi, e subito dopo uno dei due gemelli se l'è fatta addosso e non riusciva più a muoversi; doveva abbandonare il campo, la sua squadra restava con nove giocatori e perdeva la partita.

Quella sera il presidente fruttivendolo ha schiaffeggiato i tre fratelli, dicendo molte bestemmie. Il giorno dopo è andato a discutere la situazione con i loro genitori.

Siccome i tre erano sempre troppo nervosi, il presidente ha proposto ai loro genitori di mandarli in un ritiro estivo, con altri ragazzi dell'allevamento che non rendevano come avrebbero dovuto. Ha detto: "Sono ancora troppo bambini, devono crescere."

Il ritiro estivo, in una casa isolata nel bel mezzo d'una valle deserta, era segreto. Tutti i ragazzi e i genitori dei ragazzi s'erano impegnati a non parlarne con nessuno.

Era diretto da un vecchio insegnante di ginnastica, il quale inizialmente più che altro faceva correre gli allievi per tutta la giornata stancandoli a morte e insieme irritandoli, perché li costringeva a passare venti volte al giorno attraverso cespugli di rovi.

Li innervosiva inoltre con altri metodi. Li lasciava in libertà per mezz'ora nel cortile della casa, e intanto studiava i gesti bambineschi che facevano. Poi li metteva in fila e ordinava a uno di loro di ripetere un gesto, che risultava inevitabilmente bambinesco; allora l'insegnante spiegava a tutti gli altri che quello era un gesto "da finocchio".

Così poi gli allievi non sapevano più che gesti fare e tenevano sempre le mani in tasca per non tradirsi. Inoltre il ragazzo smascherato dall'insegnante veniva chiamato "finocchio" dai suoi compagni per il resto della giornata; e andava sempre a finire che alla sera, stanchi per tutte quelle corse e irritati dai graffi dei rovi, nella camerata gli allievi si massacrassero di botte.

A quel punto interveniva il vecchio insegnante con una frusta in mano. Faceva venir avanti il colpevole della rissa (ossia generalmente "il finocchio"), chiedendogli se voleva o no continuare a far parte dell'allevamento e diventare un serio professionista. Quando quello rispondeva di sì, gli ordinava di scoprirsi il sedere, di appoggiarsi col ventre a uno sgabello, e di lasciarsi frustare da tutti i suoi compagni senza lamentarsi neanche una volta, per dimostrare d'essere un uomo.

Alcuni non riuscivano a non lamentarsi, e per costoro l'indomani ricominciava lo stesso supplizio. Invece chi non si lamentava del dolore veniva riconosciuto dall'insegnante e dai compagni come un uomo.

In questo modo dopo una settimana il numero dei partecipanti al ritiro s'era dimezzato. Molti di loro non avevano resistito al supplizio e avevano rinunciato a diventare seri professionisti.

Le settimane successive sono state dedicate ad altri esercizi, tutti con lo scopo di rendere gli allievi meno nervosi, innervosendoli il più possibile. "Dovete crescere," diceva il loro insegnante, "e dovete smettere d'essere come le donne."

Durante gli ultimi quindici giorni i ragazzi sono rimasti chiusi a chiave dentro la villa; erano stati sequestrati i loro vestiti, portati via i letti, le sedie e tutte le riserve di cibo. Gli allievi dormivano nudi per terra, e dopo un paio di giorni naturalmente tutti avevano una fame da lupi.

Più o meno ogni due giorni l'insegnante compariva senza preavviso. Poneva per terra dei piatti di cibo, al termine d'un lungo corridoio che percorreva tre lati della villa e che portava alla camerata dove dormivano i ragazzi.

Questo corridoio era piuttosto stretto. Dunque, quando l'insegnante dava improvvisamente il segnale, gli allievi si precipitavano fuori dalla camerata ed erano costretti a spintonarsi furiosamente nello stretto corridoio, inferociti dalla fame, siccome i primi che raggiungevano i piatti ingurgitavano tutto il cibo e i più restavano per giorni e giorni a digiuno.

Tuttavia la bravura non consisteva soltanto nello spintonare furiosamente gli altri. "Per farsi largo nella vita e nel lavoro, mai lasciarsi sorprendere da niente," spiegava il vecchio insegnante.

Innanzi tutto gli allievi avevano l'obbligo di restare sempre nella camerata, e solo quando suonava la sirena azionata dall'insegnante potevano precipitarsi fuori. Poi la sirena suonava a vuoto almeno una volta su tre, e quindi arrivati al termine del corridoio, dopo essersi spintonati alla disperata, gli allievi spesso non trovavano niente da mangiare.

Infine, poiché l'insegnante azionava la sirena a ore sempre diverse, gli allievi dovevano esser capaci di scattare fuori dalla camerata al minimo rumore; ma per far questo dovevano anche riuscire a riposare tranquillamente nudi e famelici per terra durante il resto del giorno, così da essere in piena forma al momento di scattare e spintonare gli altri.

"In conclusione," spiegava l'insegnante, "voi dovete imparare a star calmi, per sfruttare il fatto che gli altri si innervosiscono e vanno fuori di testa."

Chi ha fatto esperienza di questo tipo di allevamenti sostiene che i metodi qui descritti hanno una grande efficacia, la quale perdura per tutto il resto della carriera d'un calciatore. Però nel caso dei tre fratelli non è andata così.

Alla prima partita importante i tre hanno giocato malissimo, confusi da tutto ciò che accadeva attorno a loro: confusi da un fischio dell'arbitro, dalla palla che usciva lentamente di campo come se morisse, dall'aria desolata d'un avversario o da un kleenex per terra. Poiché ormai sempre in tensione cercavano di star attenti a tutto, allora qualsiasi cosa li confondeva.

Nella partita successiva uno dei due gemelli è svenuto in campo, e la loro squadra ha perso in modo clamoroso. Dopo negli spogliatoi i ragazzi erano tutti così nervosi che si tiravano in faccia le scarpe da football, e stavano picchiandosi alla rinfusa quando è arrivato il loro presidente.

Il fruttivendolo presidente li ha schiaffeggiati tutti, uno per uno, poi ha detto: "La prossima volta se siete nervosi dovete spaccargli il culo agli altri, non fare a botte tra di voi."

I tre fratelli hanno pregato molte volte i loro genitori di non mandarli più a giocare, nonostante il contratto, perché dicevano: "Non siamo capaci." La madre e il padre però rispondevano che loro stavano dando un calcio alla fortuna per puro capriccio; tutti infatti ritenevano che loro fossero promesse del calcio, e che in pochi anni avrebbero potuto giocare nel campionato di serie A.

Una notte i tre hanno rubato un grosso camion col rimorchio e fuggivano verso la Svizzera; per strada però sono finiti in un fosso, fracassando il rimorchio.

Catturati dalla polizia dopo una lunga battuta notturna nelle zone di confine, venivano spediti in un riformatorio. E qui i tre hanno ricominciato a giocare a calcio, bravissimi come una volta.

Adesso sono in un riformatorio in provincia di Mantova. Combinano un sacco di guai per restare in riformatorio più che possono, spaventati all'idea di dover tornare fuori un giorno o l'altro.

Quando era a Los Angeles, il narratore di questa storia ha abitato a lungo nella villa d'un produttore cinematografico greco, che produceva film scadenti da esportare nei paesi arabi e in Oriente. L'uomo aveva smesso di scrivere storie perché con quel mestiere non aveva mai ottenuto niente di buono; aveva deciso di non tornare mai più in Europa e contava di venir chiamato a insegnare in qualche università da quelle parti.

Passava gran parte delle sue giornate guardando vecchi film americani su un video, in una grande stanza al secondo piano della villa, piena di piante esotiche, larghe poltrone di cuoio, piccoli acquari e sculture africane, alcune delle quali alte fino al soffitto. Ogni pomeriggio alle cinque doveva uscire a passeggiare, perché verso quell'ora gli veniva da piangere; andava a passeggiare sul Wilshire, e si fermava a lungo ad ammirare le bellissime vetrine.

Il produttore che lo ospitava lavorava sui bordi della piscina, con in mano la sceneggiatura d'un film che aveva fatto grossi incassi, dettando ad un regista le variazioni da apportare per produrre un film quasi identico ma scadente. Il regista prendeva appunti e i fogli venivano poi passati ad una coppia di sceneggiatori che lavoravano in una casetta accanto alla villa, assieme ad una dattilografa.

I due sceneggiatori, marito e moglie, vestivano sempre in modo identico, con completi scuri e identici, camicie di seta identiche, e venivano al lavoro su due macchine nere e identiche. Lavoravano separatamente dividendosi le scene da scrivere, e tra di loro non parlavano mai. Non parlavano mai perché così li aveva consigliati un guaritore d'anime, presso il quale erano in cura da molti anni.

Dunque, tranne per qualche informazione indispensabile nel corso della giornata, i coniugi sceneggiatori comunicavano tra di loro soltanto tre sere alla settimana, attraverso il guaritore d'anime.

Quando vedevano in giro per la villa il narratore di questa storia, i coniugi sceneggiatori gli lanciavano occhiate sospettose, siccome pensavano fosse un celebre sceneggiatore europeo venuto a sostituirli. Del resto il produttore non nascondeva d'essere poco soddisfatto del loro lavoro e di aver intenzione di sostituirli al prossimo film, anche perché quei due gli erano antipatici.

Per questi motivi un giorno, trattenendosi a parlare brevemente con il marito sceneggiatore sotto una palma che ombreggiava la casetta accanto alla villa, l'uomo ha provocato un disastro.

La moglie ha subito voluto sapere dal marito di cosa avesse parlato con l'uomo europeo sotto la palma. Il marito però non rispondeva, per seguire i consigli del guaritore d'anime. Allora la moglie ha sospettato che i due uomini si fossero accordati per scrivere assieme il prossimo film, escludendo lei.

Al culmine del litigio, quando finalmente il marito si decideva a parlare, confessando il proprio desiderio di liberarsi della moglie, questa lo assaliva con un paio di forbici e lo feriva gravemente a un dito.

Era verso la metà di settembre. Disturbato dall'incidente, l'uomo ha improvvisamente deciso di lasciare Los Angeles;

una mattina alle sei ha chiamato un taxi, e se n'è andato dalla villa senza dir niente a nessuno.

In un giorno di pioggia ha fatto sosta in un aeroporto del Nevada, e durante la sosta è andato a piangere in un gabinetto. Con un piccolo aereo che conteneva solo quindici passeggeri è arrivato una notte a Wichita, e di lì proseguiva in pullman verso il paesino di Alden, Kansas.

La sua nuova casa aveva un cancelletto davanti, e oltre il cancelletto di legno un prato arrivava fino alla strada. Il paesino aveva otto strade asfaltate e duecentoventi abitanti, d'età media sui sessant'anni.

Attorno al paese c'erano campi coltivati a grano, appezzamenti tutti uguali concessi ai coloni un secolo prima e ancora appartenenti alle stesse famiglie. Fuori dal paese le strade erano in terra battuta, e ogni pomeriggio l'uomo camminava fino ad un fiume che passa da quelle parti.

Era ospite di due coniugi anziani, con i capelli bianchi, che aveva conosciuto qualche anno prima in Europa.

Qualche anno prima i coniugi che lo ospitavano avevano fatto un viaggio in Europa, e l'uomo li aveva accompagnati a visitare alcune città italiane. Durante quel viaggio la moglie, Edith, aveva tenuto un diario. Poi, tornata a casa, per circa due anni aveva occupato le sue serate leggendo quel diario di viaggio a pressoché tutti i duecentoventi abitanti del paese.

Quelle serate di lettura avevano avuto molto successo, e la lettura di molte parti era stata ripetuta pubblicamente in uno stanzone adibito a ristorante sulla strada principale del paese, o nella sala d'un albergo a una decina di miglia di lì.

Così, quando nel giro di quindici giorni l'uomo è stato presentato ad ognuno dei duecentoventi abitanti di Alden, tutti si sono dimostrati felicissimi di conoscere personalmente un personaggio di quel celebre diario.

Il sindaco del paese, una donna piccolissima sui settant'anni, gli ha detto di averlo immaginato più basso e con i baffi. La giovane cassiera della banca locale gli ha chiesto, in quanto personaggio europeo, di dirle qualche parola in francese: cosa che l'uomo ha fatto e che ha suscitato l'entusiasmo della popolazione. Al punto che la sera dopo, nel ristorante locale, egli ha dovuto ripetere pubblicamente le stesse parole francesi pronunciate nella banca; e il gestore di quello stanzone adibito a ristorante, un ex professore di musica, ha suonato in suo onore col violino la canzone francese intitolata "La vie en rose".

Ogni volta che il marito, Bill, presentava l'uomo a qualcuno andando di casa in casa, ripeteva esattamente la stessa battuta di spirito; e ogni volta Edith, la moglie, rideva come se la sentisse per la prima volta. Quando nell'albergo a dieci miglia di lì c'è stata una serata con rilettura pubblica di alcune parti del diario, Bill ha presentato l'uomo ancora con la stessa battuta di spirito; e tutto il pubblico, che l'aveva già sentita, è esploso a ridere come se la sentisse per la prima volta. Anche l'uomo allora s'è messo a ridere come se la sentisse per la prima volta, perché gli è parso giusto così.

In seguito gli è stato chiesto di fare un breve discorso ai bambini d'una scuola elementare in un paese vicino, e lui ha accettato di farlo. Ha poi accettato di ripetere lo stesso discorso in altre due scuole elementari, sempre aggiungendo qualche parola in francese per gli adulti, come gli veniva richiesto. Facendo esattamente ciò che gli era richiesto si sentiva più tranquillo, e durante la giornata non gli veniva più da piangere.

Ogni sera andava in visita ad una famiglia, o ad una riunione pubblica, e alla domenica mattina andava a messa nella chiesa metodista. Andando in chiesa cercava di dimostrare che capiva il valore delle apparenze, e allora si vestiva meglio che poteva, si rasava con cura, si pettinava con un po' di brillantina di Bill, e si strappava anche i peli dalle orecchie.

Nel giro d'un mese ha cominciato a ricevere molti biglietti e lettere di parenti degli abitanti di Alden, che si complimentavano per la sua rinomanza in quel paese, dove tutti parlavano bene di lui. Il figlio dei proprietari dell'ufficio postale gli inviava i suoi complimenti e lo invitava a Ottawa, nel caso avesse voglia di andarci. Due figlie del sindaco lo invitavano a Hudson, nello stato di New York. Il figlio di Bill e Edith gli ha spedito da Hong Kong una gabbietta cinese con dentro un bellissimo uccello di cartapesta.

A ognuno di questi l'uomo rispondeva con un biglietto di ringraziamenti, cercando di imitare le parole e il tono con cui Bill e Edith svolgevano il loro lavoro cerimoniale, in ogni momento della vita.

Verso Natale è andato a visitare le figlie del sindaco a Hudson, a nord di New York. Abitava vicino a un bosco di betulle e non piangeva quasi mai, solo qualche volta al risveglio. Quando era presentato a vicini e conoscenti come un personaggio celebre, aveva sempre qualche momento di panico, ma in generale riusciva a cavarsela come si deve.

Doveva prendere un aereo il giorno di Natale per tornare in Europa. Nel pomeriggio della vigilia vagava per le strade di New York piene di gente che usciva dai negozi allegra e carica di acquisti, si riversava sui marciapiedi in fiumane ordinate, allegre e tranquille.

Alla sera è andato a pranzo nel Queens, presso una famiglia di italiani.

Qui molti invitati attorno a una lunga tavola parlavano tutti assieme e brindavano ogni momento, sotto festoni di palline colorate che si accendevano e spegnevano in successione. E l'uomo, appena ha raccontato il suo viaggio nel Kansas, s'è accorto che anche qui tutti lo trattavano come una persona celebre che ha giustamente presentato le proprie credenziali.

E per tutta quella serata d'addio sarebbe stato trattato come una persona celebre e di riguardo; tanto che lui avrebbe ripetuto alcune battute di spirito di Bill, per contraccambiare e far ridere la gente. Era ormai un uomo maturo, che quel giorno s'era pettinato, rasato, s'era messo una bella cravatta rossa, e gli era anche venuto in mente di sapere cos'è la vita: una trama di rapporti cerimoniali per tenere insieme qualcosa d'inconsistente.

Alcuni mesi dopo, a Piacenza, ha finalmente accettato la sua situazione e non gli è più successo di piangere; ha anche accettato di non poter essere celebre come lo era stato nel Kansas, pur senza dimenticare i cerimoniali appresi laggiù. Così, essendo tutto ormai lontano, gli è anche riuscito di scrivere la storia del suo apprendistato con Bill e Edith, cioè questa.

C'era un barbiere che era venuto a Piacenza a fare il militare, all'epoca in cui questa città era piena di caserme e conseguentemente piena di militari per le strade. E questo risale al tempo di guerra, quando il barbiere ha conosciuto una ragazza di Piacenza e l'ha sposata. Fatto prigioniero dai tedeschi e mandato a lavorare in Germania, solo qualche anno dopo tornava il barbiere nella città della moglie, dove apriva un negozio di barbiere. La moglie avviava una attività di parrucchiera sopra quel negozio di campagna.

Passa il tempo e una sera tornando a casa il barbiere crede di vedere sul pianerottolo un amico che non c'è, anzi è morto da un bel pezzo in Albania. Confida il fatto alla moglie e questa lo consiglia di andare all'ospedale per farsi curare, siccome lei non se la sente di stare con uno che ha le allucinazioni. Il barbiere accetta e viene ricoverato in manicomio.

Rimane in manicomio per circa un anno e in seguito per altri due anni, poi finalmente è dimesso e rimandato a casa.

Intanto sua moglie ha trasferito sia l'abitazione che l'attività di parrucchiera in città, dove ha aperto un negozio;

dunque è in questo negozio che un bel giorno si presenta il barbiere.

La moglie gli dice che lei non se la sente di prenderlo in casa, siccome lui è appena uscito dal manicomio; la faccenda è troppo fresca, e lei vuol essere sicura che il marito sia tornato ad essere veramente sano e non abbia più nessuna allucinazione. Il barbiere accetta e torna a vivere nella casa di campagna, sopra il vecchio negozio.

Nei mesi che seguono l'uomo non dà segni di squilibrio e non parla mai di nessuna allucinazione; di tanto in tanto prende la bicicletta e va in città a trovare la moglie, ogni volta chiedendole se è disposta a riprenderlo a vivere con lei.

La moglie mostra di avere sempre meno tempo da dedicargli, perché molto impegnata nel suo lavoro di parrucchiera; finché una volta per tutte gli chiede di non venirla più a cercare.

Il barbiere accetta, ma dopo questo fatto comincia a pensare che sua moglie gli neghi l'esistenza. E lo spiega ai clienti che vanno a farsi tagliare i capelli da lui, nel suo vecchio negozio di campagna, dicendo che sua moglie gli nega l'esistenza e questo lui non può accettarlo.

Comincia anche a pensare che tutti gli neghino l'esistenza come sua moglie, cioè mostrino di non considerarlo vivente, per le strade, nei bar, negli uffici. Ritiene che ciò dipenda da un fatto avvenuto durante la guerra, quando una notte in riva al fiume Trebbia un soldato tedesco gli ha sparato senza colpirlo. Evidentemente tutti credono che quella volta il tedesco l'abbia colpito e ucciso, quindi che lui non sia più vivente da un pezzo.

Dopo essersi formato questo convincimento, comincia ad andare ogni domenica a frugare il fondo sassoso del Trebbia con una retina da pesca. Fruga il fondo sotto la riva dove quella notte il soldato tedesco gli ha sparato, cercando il proiettile che quella notte, non avendolo colpito, deve essere finito sul fondo del fiume.

Ai clienti parla d'una cosa, persa tra i sassi del Trebbia,

a cui è legata la sua vivenza: non usa mai la parola "vita", parla sempre della sua "vivenza".

Vedendolo ogni domenica nell'acqua scrutare il fondo del fiume, i pescatori sul Trebbia a volte per ridere gli chiedono se cerca le prove dell'esistenza di Dio. Ogni volta lui risponde: "No, cerco le prove che esisto io."

Alcuni mesi dopo la morte del barbiere sua moglie si è scoperta incinta, e ha sparso la voce che aspettava un figlio del barbiere morto. In seguito ha anche sparso la voce che il barbiere le aveva parlato di notte, dicendosi molto contento che lei avesse riconosciuto il figlio come suo, perché così aveva smesso di negargli l'esistenza.

Secondo la donna il barbiere le avrebbe parlato di notte molte altre volte, sempre sostenendo che la sua vivenza non era ancora finita. Finché lei non s'è risposata e trasferita in un'altra città, e da allora il barbiere non ha parlato più.

SUL VALORE DELLE APPARENZE

C'è una donna non più giovane che svolge da moltissimi anni l'attività di domestica a ore in varie case borghesi di Cremona. Di lei si racconta che, appena uscita da un orfanotrofio, abbia incontrato un uomo chiamato "il calabrese", il quale l'ha messa incinta e sposata, e poco dopo è scomparso dalla circolazione essendo prima ricercato per furto e poi in galera per lo stesso furto.

Da allora la donna ha lavorato come domestica e si dice che abbia messo da parte molti soldi, risparmiando ogni lira guadagnata col proprio lavoro e mangiando per tutti questi anni soltanto i resti di cibo lasciati nei piatti dai suoi padroni, o raccolti a notte alta nei ristoranti. Con i risparmi avrebbe comprato un appartamento, che intende regalare al figlio quando lui si deciderà a sposarsi.

Il figlio della donna, sui venticinque anni, grasso e con l'aria indolente, è stato in galera varie volte per piccoli furti e smercio di refurtiva. È uscito di galera da non molto, vive con la madre ed è da lei mantenuto. In prigione però ha imparato a dipingere, pare, e negli ultimi tempi si dedica a questa attività dipingendo ritratti di celebri attrici nude, che poi riesce a vendere abbastanza facilmente.

Quanto all'uomo chiamato il "calabrese", egli è riapparso da vari anni nei dintorni di Cremona e per qualche tempo se l'è cavata abbastanza bene, forse grazie a una serie di incendi dolosi in capannoni industriali: lavoro molto remunerativo, questo, in cui si dice egli fosse un esperto. Da qualche anno invece se la cava male, è malconcio e forse malato, abita nello scantinato d'una fabbrica abbandonata assieme a una giovane compagna, e lavora saltuariamente in un deposito di carcasse d'auto. Spinto dal desiderio di riavvicinarsi al figlio, dice lui, si è presentato varie volte a casa della moglie abbandonata, ogni volta però chiedendo del denaro con molti piagnistei e venendo regolarmente cacciato con molti insulti.

Recentemente un avvocato, a cui la donna s'era rivolta per avere consigli su alcuni investimenti di denaro, ha ricevuto la visita del "calabrese", il quale desiderava informarsi sulle proprietà della moglie, spiegando che lui era malato e senza cure, e lei aveva il dovere di aiutarlo essendo ancora sua moglie.

Convocati una settimana dopo dallo stesso avvocato, il "calabrese" e sua moglie avevano un violento litigio che terminava per strada. Qui la donna, cavato un sasso che aveva appositamente portato con sé nella borsa, lo tirava in testa al cosiddetto marito.

L'uomo veniva ricoverato all'ospedale e la donna era denunciata per aggressione. Ma a questo punto interviene un fatto nuovo che cambia il corso degli eventi.

Un giorno il "calabrese" è nuovamente convocato nell'ufficio dell'avvocato. Sua moglie, attraverso l'avvocato, gli chiede di intervenire al matrimonio di suo figlio; il figlio infatti ha conosciuto una ragazza molto giovane e carina e sta per sposarsi, e sarebbe giusto che il padre intervenisse al matrimonio.

Subito il "calabrese" rifiuta di intervenire al matrimonio del figlio perché, dice, non ha vestiti decenti da mettersi e gli farebbe solo fare brutta figura. Al che la donna accetta di rivestirlo dalla testa ai piedi, purché venga.

Il "calabrese" però rifiuta ancora perché, dice, non

potrebbe venire al matrimonio senza la sua giovane compagna e senza un consistente regalo per gli sposi, che non può comprare. Allora la donna ritira la precedente offerta; dice che della sua compagna non vuol neanche sentirne parlare e che il matrimonio si farà senza di lui. Salvo che lui, ricevendo la somma per l'acquisto d'una lavatrice come regalo, non si impegni a venire al matrimonio da solo.

Il "calabrese" spiega che sarebbe molto contento di accettare, ma non se la sente di venire al matrimonio a piedi, perché tutti l'hanno sempre conosciuto come un amante delle macchine. Cosa vorrebbe? una piccola vettura. La donna si impegna a versargli i soldi per una piccola vettura non appena lui avrà ritirato la denuncia di aggressione, e così si arriva alla fine di questa scena.

La donna adesso si reca presso un tipografo, dove fa stampare qualche centinaio di inviti per il ricevimento di matrimonio: inviti da spedire a tutte le famiglie presso cui ha lavorato, ad avvocati, notai, medici, ricchi commercianti, proprietari di ristoranti e professori della città, nonché ad altre sue conoscenze.

Nella stessa mattina entra in un negozio di elettrodomestici e si compra una lavastoviglie e un televisore con schermo gigante; nel negozietto accanto poi si compra un pappagallo verde che dice sempre: "Buonasera buongiorno".

Quando esce dallo snack bar dove ha contrattato il prezzo del ricevimento nuziale per almeno un centinaio di invitati, non le è rimasto quasi più nulla dei suoi risparmi trentennali. Ma, adesso che ha sistemato il figlio sposandolo e regalandogli un appartamento che aveva comprato in precedenza, lei non ha più bisogno di molto per andare avanti.

Lo snack dove si svolge il ricevimento di nozze è uno stanzone pieno di tavoli coperti da tovagliette di carta; un forno dietro il banco indica che il posto è più che altro una pizzeria per automobilisti di passaggio sulla Padana Inferiore.

Il giorno del matrimonio, quando arrivano gli invitati, si vede subito che sono stati apparecchiati molti più tavoli del necessario.

Arriva lo sposo grasso con l'aria sfatta, e la sposa giovane in vestito di seta con lo strascico. Arrivano sei inquilini dello stabile dove abita la madre dello sposo, e un giovanotto con pizzetto e baffi che nessuno conosce. C'è anche l'avvocato, che deve dire una cosa alla madre dello sposo e scapperà subito. C'è un uomo con giacca e calzoni molto spiegazzati, che è il padrone del deposito di carcasse d'auto dove il padre dello sposo lavora saltuariamente.

E c'è infine un tennista piuttosto noto, che la madre dello sposo è riuscita a convincere a venire all'ultimo momento, per dare una nota d'importanza a quel matrimonio, visto che nessun avvocato, medico o professore ha accettato l'invito.

Non s'è ancora vista traccia né del padre dello sposo né del suo regalo. L'avvocato prende in disparte la madre dello sposo e le dice: "Suo marito è un gran mascalzone e sarei lieto di fargli causa."

Poi in un angolo dice che sente il dovere, in quanto suo avvocato, di spiegarle cosa ha scoperto solo mezz'ora prima.

Ha scoperto che la sposina altri non è se non la giovane compagna di suo marito, che lo stesso "calabrese" ha presentato al figlio in modo che questi si sposasse ed entrasse in possesso dell'appartamento; inoltre che il suddetto "calabrese" s'è già andato a installare nell'appartamento che lei ha comprato con i suoi risparmi e ha intestato al figlio pochi giorni prima; infine che i tre hanno intenzione di condurre vita in comune e disgraziatamente non c'è azione legale che possa impedire quello scandalo.

Sulle prime la donna rimane sconvolta dalla rivelazione del raggiro. Poi si volta a guardare lo stanzone e vede che nessuno sembra notare l'assenza di suo marito, come se costui non esistesse, perché tutti ascoltano il tennista famoso raccontare cosa gli è successo in un torneo a cui ha partecipato in Australia.

La donna ci pensa un po' e dice all'avvocato: "Be', per adesso qui tutto va bene." Quindi gli spiega: "Se nessuno si accorge di niente, è come se non fosse successo niente."

L'avvocato risponde che però un giorno o l'altro qualcuno può accorgersi di cosa è successo. Allora la donna lo congeda dicendo: "Sì, ma fino ad allora io posso far finta di non saperlo e star contenta perché non è successo niente."

Dopo, siccome sono entrati molti automobilisti di passaggio che hanno riconosciuto il tennista famoso, lei li invita a sedersi con gli altri invitati, e invita tutti quelli che arrivano a sedersi e mangiare. Così alla fine lo stanzone è tutto pieno di gente e il ricevimento meglio di così non avrebbe potuto andare, perché ognuno crede che gli altri siano invitati regolari e che gli sposi abbiano moltissimi amici.

Solo alla fine del pranzo, quando è già stata mangiata anche la torta nuziale, arriva il padre dello sposo. Ben vestito, sorridente, scusandosi per il ritardo, indica a tutti una grossa macchina sportiva parcheggiata sulla strada, che ha comprato quella stessa mattina per un prezzo assolutamente speciale.

Nessuno degli invitati gli bada perché nessuno lo conosce, tranne il padrone del deposito di carcasse d'auto, il quale gli risponde con questo commento: "Una macchina appena comprata vale meno della metà, e appena succede qualcosa è già da buttar via. Prima o poi finiscono tutte da me, in demolizione: tutte in demolizione, perché non hanno durata. Allora cosa serve spomparsi per guadagnare dei soldi e comprar delle macchine? È come buttare i soldi per i marciapiedi."

TEMPO CHE PASSA

Una donna ogni giorno va a lavorare in macchina, percorrendo una cinquantina di chilometri tra andata e ritorno. Il momento più difficile della sua giornata è quando al ritorno si ritrova sulle strade di casa, e si mette ad ascoltare il tempo che passa.

Dopo Cremona, andando verso est sulla Padana Inferiore, si incontra un grande centro commerciale con un'insegna visibile da lontano. Due supermercati lunghi e bassi, con un doppio piazzale di parcheggio a lato della camionabile, occupano uno spazio enorme in mezzo alle campagne. Sui piazzali vengono trasmesse musichette, ogni tanto la voce d'uno speaker annuncia una vendita speciale, e si sentono i fischietti di poliziotti privati che smistano il traffico di macchine nei parcheggi. Dalle macchine scendono per lo più famiglie intere, che vengono dalle campagne attorno a far la spesa; e la donna passando nota sempre che tutti si muovono un po' a disagio, straniti nello spazio aperto assieme a migliaia d'altri come loro.

Subito dopo c'è un paese che si chiama Cicognolo e di lì, abbandonando la Padana Inferiore, il profilo del suolo si dilata sempre uguale fino all'orizzonte basso sul fondo. In distanza si vedono strade dritte, frazionate da pali della luce e percorse ogni tanto da camion, a volte da un trattore. Qui ogni sera la donna ritrova nelle campagne un silenzio che sembra strano.

Finché non arriva davanti a quelle villette su terrapieni a giardino, e altre file di villette a due piani, con balcone e scala esterna e fiori dovunque. Lì intorno si sente bene che il silenzio diffuso non è quello degli spazi aperti, è un silenzio residenziale che circonda i paesi e si spande nelle campagne.

La donna dice che in giro si vedono macchine, ma non si vedono cani né bambini. Come se l'unico loro scopo nella vita fosse di mettersi al riparo da seccature, imbarazzi o complicazioni, gli abitanti vivono nascosti in quelle villette, uscendo allo scoperto solo per andare al lavoro o a fare la spesa in quel supermercato.

Nessuno ricorda neanche più cosa potrebbe esserci là fuori, a parte le ore del giorno, il tempo che passa. Allora nello spazio riempito da quel silenzio residenziale c'è solo tempo che passa, percepibile perché il silenzio lo rende così lento che sembra non passi mai.

Nessuno riesce più a sentire i rumori lontani degli altri, i quali ci dicono che là fuori tutto continua a funzionare. E la gente chiusa in casa non fa che pensarci a quell'assenza di rumori, aspettando l'ora del pranzo, della cena, o l'ora di guardare la televisione. Ma siccome pensandoci il tempo si allunga ancora di più come un elastico, gli abitanti si ritrovano là dentro spesso spaventati da un minuto che non passa mai.

Attraversando un paese che si chiama Pieve San Giacomo, spesso la donna prova una specie di solidarietà con i suoi abitanti, tutti chiusi in casa a pensare. All'ingresso del paese c'è il gigantesco cartello d'un ufficio vendite, e nel paese raramente vede anima viva, tranne qualche donna infagottata che passa in bicicletta e scompare immediatamente.

Dopo un passaggio a livello c'è una strada di villette

residenziali a forma di modellini, dove la donna abita. Una villa più ricca delle altre ha un vasto prato e un molosso sempre immobile sul prato che guarda come una statua; nelle altre villette meno ricche invece statue dei nani d'un film di Walt Disney, disposte accanto alle porte. Molte facciate di quelle villette sono rivestite di piastrelle, ci sono alberi in miniatura davanti alle case, prati minuscoli e aiole con fiori stravaganti.

Spesso la donna non se la sente di rientrare a casa e ritrovare i suoi genitori che guardano la televisione, in una specie di rigor mortis da attesa che passi il tempo. Dunque prosegue fino a San Daniele Po e anche oltre, sulla provinciale verso Casalmaggiore. E anche lì sfilze di villette residenziali lungo la strada: molte di esse sono modellini in stile rustico, con muri coperti di finta roccia e un camminamento di lastre irregolari che attraversa il prato fino al cancelletto. Spesso il prato è pieno di piccole margherite, davanti alla casa ci sono falsi pozzi in gesso, alberi nani e cespugli di lauro ornamentale o di magnolia. In molti giardini ci sono piscine in stile hollywoodiano in miniatura.

Guardando quelle villette la donna è spesso colpita dalle infinite minuzie, che debbono aver occupato molto i pensieri dei loro abitanti. Tanto che, guardandole, ha l'impressione che il vuoto attorno sia qualcosa di infinitamente più ordinato, più minutamente organizzato di quanto potrebbe mai immaginare: come una trappola complicatissima per tenere lontane le incertezze e le vergogne, eliminando ogni serietà dai fatti della vita.

Dice che in quella trama poco seria il tempo è solo tempo e basta, tempo senza più tempo perché non va da nessuna parte; e gli abitanti, poveretti, presi in quella trappola, sono diventati così confusi che viene loro un rigor mortis da attesa al minimo contrattempo.

Certe sere nei suoi vagabondaggi si ferma in un bar sulla piazzetta di San Daniele. C'è sempre una fila di ragazzi seduti all'esterno del bar, che ascoltano il juke-box stravaccati sulle sedie con aria sognante. E guardando quei ragazzi, non sa perché, le vengono a noia tutte le sue opinioni e giudizi su ciò che vede, sulle villette residenziali e i loro abitanti. Più nessuna voglia di giudicare niente, che passi tutto, che vada dove deve andare; in fondo, dice, è solo tempo che passa.

COME FA IL MONDO AD ANDARE AVANTI

In un piccolo paese in provincia di Parma, non lontano dal Po, mi è stata raccontata la storia d'un vecchio tipografo che s'era ritirato dal lavoro perché voleva finalmente scrivere un memoriale a cui pensava da tanto tempo. Il suo memoriale avrebbe dovuto trattare questo argomento: come fa il mondo ad andare avanti.

Essendo in pensione, il vecchio tipografo andava in giro tutto il giorno sul motorino, e andando in giro leggeva tutte le scritte che vedeva. Infatti gli era sempre piaciuto molto leggere e aveva sempre pensato che, per capire come fa il mondo ad andare avanti, bisogna leggere molto.

Col tempo però s'è accorto di non poter più mettere gli occhi quasi da nessuna parte senza trovare delle parole stampate da leggere. Pubblicità, insegne, scritte nelle vetrine, muri tappezzati di manifesti facevano sì che lui, dopo una mezza giornata fuori casa, avesse già letto migliaia e migliaia di parole stampate. Così tornando a casa non aveva più voglia di leggere libri, né di scrivere, aveva solo voglia di guardare delle partite di calcio alla televisione.

Ha incominciato a pensare che non sarebbe mai riuscito a scrivere il suo memoriale, perché c'era troppa roba da leggere. Ma siccome andando in giro sul motorino vedeva sempre più parole stampate, sempre più manifesti e scritte pubblicitarie dappertutto, un giorno gli è sorto il desiderio di sapere almeno cos'era successo: perché le parole da leggere in giro aumentavano sempre? Doveva essere successo qualcosa.

È andato a parlarne con un grande grossista di carni che importava carne dalla Russia e che, andando spesso in Russia, forse poteva sapere cos'era successo. Il grossista gli ha detto soltanto che la gente crede di star meglio a mangiare sempre più carne, così lui doveva trovare tutta la carne che gli chiedevano e per quello doveva andare in Russia, dove però, che lui sapesse, non era successo niente.

Il tipografo è andato allora all'università di Parma. Qui trovava solo studenti che non ne sapevano niente, e professori che passavano la vita a parlare, e a forza di parlare secondo lui erano diventati tutti pazzi. Ha capito che neanche lì potevano aiutarlo.

Al pomeriggio spesso portava in giro la sua nipotina sul portapacchi del motorino, ed esponeva a lei il suo problema. La nipotina l'ha consigliato di andare a parlare con il suo professore di scienze, che abitava fuori dal paese ed era anche un giovane inventore.

Il giovane inventore era uno con capelli lunghi fino alla schiena, che portava sempre un grembiule da meccanico. Ha detto al tipografo che non ci aveva mai pensato prima a quel problema; e così i tre, il tipografo, la nipotina e l'inventore, hanno cominciato a pensarci.

Poiché secondo il tipografo bisognava sempre ripartire dal problema di come fa il mondo ad andare avanti, i tre sono ripartiti di lì. Ci pensano e discutono, giungendo a questa prima conclusione: che il mondo va avanti perché la gente ci pensa, cioè ci pensa a mandarlo avanti.

Però, come fa la gente a pensarci? Cos'è pensare? Allora i tre (in particolare la bambina che aveva una gran passione per gli studi scientifici) si comprano delle dispense scientifiche nelle edicole, una enciclopedia a rate, dei libri, e cominciano a studiare. Imparano che gli impulsi esterni e interni sono una corrente elettrica che viaggia lungo i nervi fino agli assoni, o fili che spuntano dalle cellule cerebrali, passando per punti detti sinapsi in cui debbono (gli impulsi) fare un piccolo salto, che sarebbe poi una depolarizzazione come nelle batterie delle macchine, e così nel cervello non c'è altro che schemi elettrici sempre variabili.

Non so molto di questi loro studi, tranne le conclusioni fallimentari a cui sono arrivati, enunciate un giorno nel bar dal tipografo. Nel bar ha spiegato che nessuno può dire, e non c'è dispensa o enciclopedia che lo spieghi, in che modo uno riesce a ricordarsi d'un piatto di minestra che ha mangiato il mese prima, dato che non c'è più traccia elettrica di quella minestra nel suo cervello.

I tre si dedicano allora ad esperimenti pratici con un encefalografo comprato dall'inventore in un'asta giudiziaria. Studiano i diversi tipi di onde cerebrali, secondo se uno dorme, è sveglio, ha sonno o è arrabbiato. Poi passano a far esperimenti con una pianta in un vaso.

Attaccano alle foglie della pianta due elettrodi collegati con l'encefalografo, e vedono che la pianta reagisce in modi diversi quando qualcuno le va davanti. Le onde che si possono leggere sullo schermo dell'encefalografo, cambiano il loro tracciato secondo quello che fa o pensa la persona che sta davanti alla pianta. Un giorno ad esempio il giovane inventore ha dato uno schiaffo alla bambina, e il tracciato delle onde sullo schermo è diventato tutto a picchi, come se la pianta si offendesse. Un'altra volta ha detto molte parole lusinghiere nell'orecchio del bidello della sua scuola, posto davanti alla pianta; e sullo schermo sono apparse onde distese, non seghettate, come le onde del cervello d'uno che dorme.

Questi risultati spingono i tre a cercar di capire cosa pensa la gente, per mezzo d'una pianta e dell'encefalografo. Cominciano col chiedersi: cosa pensano ad esempio i ricchi?

Si fanno prestare un furgoncino e di notte vanno ad appostarsi davanti alle ville dei ricchi nei dintorni del paese. Mentre la bambina e il tipografo sorvegliano la strada, il giovane inventore scavalca il muretto di cinta e va a piazzare gli elettrodi sui rami d'un albero particolarmente vicino a una finestra della villa. Poi trascrivono i tipi di onde che compaiono sullo schermo dell'encefalografo nel furgoncino.

In quelle villette ci sono sempre alberi davanti alle facciate, con rami che arrivano vicino a una finestra. Piazzando gli elettrodi su un ramo adatto, i tre sperano di capire, attraverso le reazioni dell'albero, cos'ha in testa la gente sempre chiusa nelle villette a guardar la televisione. È ancora viva, già morta, o solo addormentata? Pensa, non ci pensa, o solo sogna che qualcosa succede?

Continuano a fare queste spedizioni per gran parte di un'estate, accumulando moltissimi diagrammi. Li confrontano tra di loro, li confrontano con altri diagrammi riportati sui libri, e alla fine capiscono di non capir niente di quello che succede.

Allora hanno l'idea di scrivere una lettera al sindaco, per illustrare tutti i loro fallimenti. Il sindaco passa la lettera all'assessore alla cultura, il quale organizza una conferenza pubblica sull'argomento che appassiona i tre: come fa il mondo ad andare avanti?

Viene chiamato a parlare un conferenziere che va in giro a far conferenze su tutto, sempre facendo riferimento alla sua infanzia e ai suoi ricordi. Costui in meno di un'ora risolve il problema, risponde alle obiezioni del tipografo, della bambina e dell'inventore, e conclude la conferenza. Il pubblico applaude contentissimo di sentire che là fuori c'è un mondo così facile da spiegare che uno se la può cavare in mezz'ora.

Poi tutti, appena escono dalla sala e si ritrovano in strada, dimenticano immediatamente quello che hanno sentito, il conferenziere dimentica quello che ha detto, e l'indomani nessuno ricorda neanche più il titolo della conferenza. Nel piccolo paese tutto continua ad andare avanti come prima, a parte il fatto che ci sono sempre più parole sui muri, sempre più insegne, sempre più scritte pubblicitarie dovunque il tipografo giri gli occhi.

C'era uno studente di Parma che una volta ha letto due romanzi di Knut Hamsun e subito dopo s'è messo a scrivere racconti di notte. È emigrato in Francia, a Montpellier, dove ha trovato lavoro in un grande garage con annessa officina di riparazioni.

Lavorava alla cassa, in una scatola di vetro vicina all'uscita, da cui vedeva le segnalazioni dei meccanici che gli indicavano quale genere di riparazioni avevano fatto, macchina per macchina. Quando i clienti passavano davanti alla sua scatola di vetro, lui doveva conteggiare le spese di manodopera, il prezzo dei pezzi di ricambio, e aggiungere una percentuale per le tasse.

Nell'intervallo di mezzogiorno andava a mangiare alla mensa universitaria, un grande locale di vetro e cemento con lunghe tavole e panche di legno; e qui ha fatto molte amicizie. Qui ha anche conosciuto una ragazza che studiava in quella città, e s'è messo a vivere con lei.

Continuava a scrivere i suoi racconti di notte, ma dopo averne scritti una cinquantina s'è accorto che non gli piacevano. Ha pensato che solo nel deserto, o molto vicini alla morte, valesse la pena di scrivere qualcosa.

Allora è partito per le Cévennes e s'è accampato con

una tenda in una grotta tra le montagne. Scendeva nel villaggio più vicino due volte alla settimana per gli acquisti necessari, e per il resto del tempo riempiva quaderni di appunti su tutto ciò che vedeva, sugli aspetti più comuni o insoliti di ciò che gli stava attorno.

Nella grotta gli è venuta una lombaggine che lo bloccava in quasi tutti i movimenti, e un raffreddore che lo faceva starnutire senza sosta. Ha mandato una lettera alla sua compagna per spiegarle come sia impossibile descrivere le apparenze; diceva che le parole sono fatte d'una pasta diversa, e ciò che ti dicono le apparenze non c'è modo di dirlo. Inoltre stando lassù qualsiasi storia gli sembrava falsa.

Un giorno è sceso nella città più vicina e ha gettato i suoi quaderni di appunti nel primo bidone della spazzatura che ha trovato. Poi prendeva un treno per tornare a casa.

A casa ha trovato un piccolo biglietto, col quale la sua compagna gli annunciava d'essersene andata. Per tre mesi è rimasto ad aspettare che tornasse, per lo più a letto a causa della lombaggine e della bronchite che aveva preso sulle montagne.

Un anno dopo aveva ripreso il suo lavoro nel garage, s'era iscritto all'università di Montpellier, ed era a letto bloccato da un reumatismo cervicale. Un pomeriggio è tornata la ragazza fuggita, dicendogli che voleva vivere con lui.

Dopo un altro anno era nato suo figlio, lui stava per completare l'università e la ragazza faceva la bibliotecaria in un istituto scientifico.

E un giorno la ragazza ha lasciato il lavoro e ha attraversato a piedi tutta la Francia, fino in Bretagna. Poi è tornata indietro e ha conosciuto un piccolo gruppo di ebrei che allevavano cavalli, portandoli in transumanza attraverso i pascoli nel sud della Francia.

Gli uomini di quel gruppo credevano che il mondo degli uomini stesse per finire, leggevano la Bibbia ogni giorno, e non volevano aver niente a che fare con la vita organizzata delle città o con i commerci delle industrie. La ragazza stava assieme a loro, aveva imparato a curare i cavalli e andava con gli altri in transumanza.

Erano nella regione del Larzac. Una mattina, mentre la ragazza era andata a far la spesa in un paese vicino, tutti gli uomini di quel gruppo sono stati massacrati a colpi di mitra. Qualcuno pensa sia stata l'opera d'un commando nazista che si addestrava da quelle parti; erano infatti stati visti degli uomini in tuta mimetica che facevano esercitazioni a fuoco in un vallone deserto.

Quando la ragazza è tornata a casa aveva una paresi facciale. Dopo questi fatti, l'uomo che voleva scrivere racconti non è mai più riuscito a scrivere niente.

IDEE D'UN NARRATORE SUL LIETO FINE

·la letteratura da sollievo
-la tragedia organizzata in un modo compensible

Il figlio d'un farmacista studiava all'estero. Alla morte del padre è tornato a casa per occuparsi della farmacia, diventando farmacista in un piccolo paese nei dintorni di Viadana, provincia di Mantova.

La fama della sua sapienza s'era diffusa nelle campagne, attraverso voci che parlavano della sua immensa biblioteca, d'una sua prodigiosa cura contro il mal d'orecchi, d'un metodo nuovissimo per irrigare i campi, e delle dodici lingue parlate dal farmacista, il quale, tra l'altro, secondo le voci stava traducendo in tedesco la Divina Commedia.

Il proprietario d'un caseificio nei paraggi ha deciso di stipendiare l'ormai maturo studioso perché si occupasse dell'educazione liceale di sua figlia; quest'ultima infatti, essendo un'ardente sportiva, andava male a scuola e inoltre detestava i libri, il latino e la buona prosa in lingua italiana. Più che altro per passione allo studio e non per necessità di denaro, il farmacista accettava, e per un'intera estate si recava ogni giorno a far lezione alla giovane atleta.

E un giorno è accaduto che la giovane atleta s'è innamorata di lui, al punto da abbandonare ogni attività sportiva e mettersi a scrivere poesie, versi in latino e naturalmente lunghe lettere.

Qualcuno parla ancora d'una macchina acquistata dal farmacista per l'occasione, di lunghe scorribande dei due per le campagne, e addirittura di convegni notturni in una stalla.

Ad ogni modo, la prova dei rapporti amorosi tra i due, nell'ultimo scorcio dell'estate, veniva alla luce solo nell'inverno successivo, quando un pacco di lettere era requisito alla ragazza dalle suore del suo collegio, e debitamente trasmesso ai genitori. Il contenuto di quelle lettere appariva tanto rivoltante agli occhi del proprietario del caseificio, che costui decideva di rovinare il farmacista e di cacciarlo per sempre dal paese.

I fratelli della ragazza, allora appartenenti alle squadre fasciste, devastavano più volte la farmacia sulla piazza del paese, e una volta bastonavano duramente il suo proprietario.

Tuttavia questi fatti non sembra abbiano preoccupato molto il farmacista. Per un certo periodo egli continuava a ricevere i clienti nella farmacia devastata, tra vetri rotti, scaffali demoliti, vasi fracassati; poi un bel giorno ha chiuso bottega e s'è ritirato tra i suoi libri, senza più uscire di casa se non occasionalmente.

Tutto il paese lo sapeva immerso nei suoi studi, e lo vedeva di tanto in tanto passare sulla piazza sorridente, diretto all'ufficio postale per ritirare nuovi libri che gli erano arrivati.

In seguito è stato ricoverato all'ospedale e di qui trasferito in un sanatorio. Restava per lunghi anni nel sanatorio e nessuno sapeva più niente di lui.

Al ritorno dal sanatorio il vecchio studioso era magrissimo. Un'anziana donna di servizio che era tornata a prendersi cura di lui, si lamentava con tutti perché lui non voleva mai mangiare: diceva che mangiare non gli piaceva e restava tutto il giorno tra i suoi libri.

Sempre più magro l'uomo usciva di casa molto raramente e mostrava di non riconoscere più nessuno in paese, nemmeno la figlia del defunto proprietario del caseificio, incontrata qualche volta sulla piazza. Però sorrideva a tutti, e si dice che salutasse i cani che vedeva levandosi il cappello.

Avendo evidentemente smesso del tutto di nutrirsi dopo la morte dell'anziana donna di servizio, e prolungato il digiuno per settimane, quando veniva ritrovato morto nella sua biblioteca (da un idraulico) era già identico a uno scheletro: di lui restava solo pelle incartapecorita attaccata alle ossa.

Era chino sull'ultima pagina d'un libro, dove stava applicando una striscia di carta.

Anni dopo la sua grande biblioteca veniva assegnata in eredità a una nipote, e questa frugando tra i libri ha creduto di capire come il vecchio studioso avesse trascorso l'ultima parte della sua vita.

Per quest'uomo tutti i racconti, i romanzi, i poemi epici dovevano andare a finir bene. Evidentemente non tollerava le conclusioni tragiche, le conclusioni melanconiche o deprimenti d'una storia. Perciò nel corso degli anni s'era dedicato a riscrivere il finale d'un centinaio di libri in tutte le lingue; inserendo nei punti riscritti dei foglietti o strisce di carta, ne trasformava le conclusioni, portandole sempre ad un lieto fine.

Molti dei suoi ultimi giorni di vita devono essere stati consacrati alla riscrittura dell'ottavo capitolo della terza parte di *Madame Bovary*, quello in cui Emma muore. Nella nuova versione Emma guarisce e si riconcilia col marito.

L'ultimissimo suo lavoro è però quella striscia di carta che aveva tra le dita e che, già ormai morto di fame, stava applicando sull'ultima riga d'un romanzo russo in traduzione francese. Questo è forse anche il suo lavoro più perfetto; qui, cambiando solo tre parole, ha trasformato una tragedia in una buona soluzione di vita.

FANTASMI A BORGOFORTE

C'è una strada che a Borgoforte, provincia di Mantova, segue l'argine del Po fino ad un punto in cui il fiume Oglio si innesta nel Po, e lì sull'Oglio c'è uno dei rari ponti di barche rimasti in piedi, tra i tanti che esistevano in queste zone.

Quella strada non è asfaltata, tranne per un tratto iniziale. Intorno ci sono molte vecchie case coloniche in rovina, altre ancora intatte ma non più abitate, e passando di lì dopo il tramonto è piuttosto difficile incontrare qualcuno, soprattutto nei mesi invernali quando quel viottolo sassoso lungo il fiume è avvolto da banchi di nebbia.

In una sera di novembre due donne, impiegate nello stesso ufficio, tornavano a casa su quella strada e pioveva a dirotto. Il viottolo sull'argine era illuminato solo dai fari della loro macchina, e ad un tratto sul ciglio dell'argine è spuntato un ragazzo, o piuttosto un bambino, che sotto la pioggia scrosciante faceva un gesto da autostoppista.

Nei pochi secondi intercorsi tra l'apparizione del bambino sul ciglio dell'argine e il momento in cui la macchina si fermava per caricarlo, le due donne avevano il tempo di sorprendersi per motivi diversi. Innanzi tutto perché abitavano da quelle parti e conoscevano quasi tutti gli abitanti della zona, ma quel bambino sperduto nella sera non l'avevano mai visto. Poi perché è parso loro strano che il bambino fosse in giro senza impermeabile o cappotto, con addosso soltanto una maglietta a righe di tipo estivo e calzoni corti, sotto la pioggia nel mese di novembre.

Tuttavia, caricato in macchina e sedutosi nel sedile posteriore, il bambino le rassicurava parlando in modo abbastanza spigliato. Spiegava d'essere andato a fare un giro in bicicletta sul fiume Oglio, e d'essersi ritrovato al di là del ponte di barche sotto la pioggia e senza nessun riparo. Aveva quindi riattraversato quel ponte di barche e abbandonato la bicicletta sotto l'argine, decidendosi a fermare una macchina per tornare a casa.

Ha detto che aveva 12 anni, come si chiamava, dove andava a scuola, che mestiere faceva suo padre, e il nome del podere dove abitava. Quando le donne gli hanno chiesto come mai non l'avevano mai visto in giro, ha risposto che non sapeva il perché.

Le due amiche l'hanno accompagnato fino ad un luogo perso in aperta campagna, molto oltre il punto in cui avrebbero dovuto fermarsi. Giunto in vista di alcune case, il bambino ha detto che potevano fermarsi, lui abitava lì a due passi giù per un viottolo. Ha ringraziato le donne, ha aperto la porta della macchina ed è corso fuori sotto la pioggia, scomparendo subito giù per quel viottolo.

È stato allora che una delle due amiche ha fatto notare all'altra qualcosa. Le ha fatto notare che il bambino, quand'era uscito di macchina, non sembrava per niente bagnato, nei vestiti, in volto o nei capelli. Le era parso di vedere la stessa cosa anche quando l'avevano caricato sotto la pioggia scrosciante, ma adesso aveva fatto più attenzione. L'altra donna ha creduto di aver visto la stessa cosa, e allora le due hanno palpato il sedile posteriore, dove il bambino s'era seduto.

Per quanto toccassero, non hanno trovato tracce di bagnato. E nonostante avessero raccolto quel bambino sotto un temporale, non riuscivano a trovar tracce di bagnato o d'umidità neanche per terra.

A questo punto, là sotto la pioggia e in mezzo a una strada deserta, le donne sono state prese dal panico. Senza indugiare tornavano verso la casa in cui abitavano assieme al marito della più anziana di loro, il quale era il cugino della più giovane.

Per qualche motivo non hanno osato raccontare all'uomo cos'era accaduto. L'indomani era domenica e sono tornate a quel gruppo di case dove avevano scaricato il bambino, e qui constatavano che nessuno degli abitanti sapeva niente del loro passeggero.

In quel podere e in tutte le case coloniche nella campagna attorno nessuno aveva mai visto o sentito nominare un bambino come quello caricato dalle due donne. Tutti ascoltavano la loro storia e spalancavano le braccia; qualcuno suggeriva che forse era un forestiero e s'informava se avesse loro rubato qualcosa.

Neppure i carabinieri di Cesole, Campitello, Borgoforte e Serraglio, dopo aver scartabellato dei registri, trovavano tracce di quel bambino o della sua famiglia. Inoltre una sera, tornando a casa, le donne scoprivano che il ponte di barche sul fiume Oglio non era in funzione da un mese, per una piena che l'aveva reso instabile e pericoloso; il loro passeggero non poteva dunque abitare di là dal fiume.

Il marito della donna più anziana è venuto a sapere questa storia sentendola raccontare in un bar, e ha fatto una scenata alle due. Secondo lui il bambino era venuto da Borgoforte, forse per rubare in alcune case sotto l'argine, che sono sempre vuote tranne nel periodo estivo.

Alle donne però sembrava che il bambino avesse parlato come se dicesse la verità, e sostenevano questa loro opinione. Questo mandava in bestia il marito, assieme all'altra faccenda delle tracce di bagnato che non erano riuscite a trovare. Diceva che cose del genere non possono accadere, e che quindi le donne avevano avuto una "allucinazione isterica", forse perché stavano sempre a parlare della loro voglia di aver bambini.

Dopo Natale la donna più anziana ha lasciato il marito, e assieme all'altra andava ad abitare in una casetta appena fuori da Borgoforte, vicina al ponte sul Po. Il marito perseguitava le due donne per qualche mese, capitando a trovarle inaspettatamente di notte e gridando loro ogni volta che erano pazze; poi però è stato spedito a fare un viaggio dalla sua ditta, e per un bel pezzo non s'è fatto vivo.

Una notte la più giovane delle due ha sognato il bambino, sullo stesso argine e assieme a gente che aveva vestiti d'altri tempi, forse di quarant'anni fa. È stato solo perché ha dovuto rivolgersi a qualcuno per ricostruire la data di quei vestiti, che ne ha parlato con un libraio di Mantova.

Forse da quel sogno le donne avevano creduto di capire qualcosa; perciò tornavano un paio di volte a parlarne col libraio.

Il libraio di Mantova ha avuto l'impressione che considerassero la propria esistenza come una cosa poco importante. Gli è parso si considerassero soltanto come "strade o percorsi di immagini" (parole del libraio): punti attraverso cui passavano immagini che spesso non si sapeva cosa fossero, come quelle dei sogni, o come molte immagini quotidiane, o immagini d'altri tempi che chissà perché era capitato loro di vedere, come quella del bambino.

Secondo il libraio quel bambino era apparso loro, stando alle loro parole, quasi fosse un pezzo di tempo che torna, in una spirale di ripetizioni, a cui nessuno fa caso perché riconosce solo le proprie immagini, perché crede ciecamente alla propria esistenza.

Erano calme, non infelici. Gli hanno esposto le loro idee con semplicità.

È andata a trovarle un'infermiera che veniva considerata una medium. Era venuta a proporre alle due donne di fare una seduta spiritica per evocare il fantasma del bambino. La donna più giovane s'è messa a urlare che quello non era un fantasma. E quando l'infermiera ha chiesto: "Se non era un fantasma, allora cosa era?", le due l'hanno pregata di andarsene.

Poi la più giovane ha avuto un collasso. Ha dovuto essere ricoverata all'ospedale e, quando il libraio di Mantova è andato a trovarla, non ha voluto parlargli molto di quanto le era successo.

Abitavano al pianoterra d'una piccola casa in cima a una discesa che porta in riva al fiume, dove c'è un'officina per la riparazione di motoscafi, sotto un'arcata del grande ponte sul Po. Dalla finestra del soggiorno riuscivano a vedere un ristorante sulla discesa, che alla sera è sempre pieno di gente, così che sulla strada c'è un viavai di macchine e motorini fino a notte tarda. Oltre la finestra un piccolo orto con fiori coltivato dal padrone di casa.

Non riesco neanche a immaginare cosa possano aver provato le donne una sera, quando, voltandosi verso la finestra, oltre i vetri hanno visto quel bambino che le guardava. È stato allora che la più giovane di loro ha avuto quel collasso, del quale non ha voluto raccontare altro.

- la lingua come una cosa limitata
- il tema solitudine, sta fuori il contatto umano
- siamo tutti un po' isolati, incapace di communicare
- il contatto è sempre possible, ma difficile farlo

Da molto tempo ormai non aveva più una lingua propria con cui parlare e scrivere. Un lavoro svolto unicamente con parole tecniche d'una lingua straniera, in un continente dove non era mai riuscito a capir bene cosa gli altri dicessero, aveva creato il paesaggio definitivo del suo volto e la musica lenta della sua voce. Poiché era rimasto al mondo più a lungo d'una persona che aveva condiviso i suoi viaggi e la sua vita, un giorno s'era deciso a tornare nel proprio continente d'origine, trovandosi a suo agio soprattutto negli aeroporti, dove finalmente gli pareva d'essere in compagnia di altri con le sue stesse mete.

Da molti esperti era considerato anche lui un autorevole esperto in qualcosa. Ma aveva spesso desiderato che qualcuno lo retribuisse, non per le formule specialistiche che insegnava agli altri, bensì per il lavoro oscuro e pratico con cui aveva contribuito a tenere in piedi il lungo imbroglio della sua scienza, orientandosi tra fatti che non erano fatti, prove che non erano prove, spiegazioni che spiegavano soltanto se stesse, e facendo quadrar tutto alla fine solo grazie alla precisione dei termini usati. Quando era nell'altro continente aveva spesso desiderato lo applaudissero per questo, e di potersi inchinare al pubblico come un prestigiatore che ha manipolato le apparenze in modo favoloso, sorridendo tra sé per il proprio imbroglio di bravo scienziato.

Adesso abitava da solo in una vecchia cascina che qualcuno aveva rimodernato prima del suo arrivo. E svegliandosi presto al mattino spesso calcolava lo spazio immenso che aveva attorno, immaginando la distesa piatta delle pianure dove abitava come se la vedesse dall'alto, e ad est la successione di strade e paesaggi fino alla riva del mare. L'abitudine di correr fuori e guardare il cielo appena sveglio aveva fissato da anni il tono delle sue giornate, e col passare degli anni sempre più presto gli veniva voglia di correre fuori a guardare il cielo e le stelle dell'alba sopra i campi. Svegliarsi così presto non gli sembrava una forma di insonnia senile, ma solo desiderio di guardare quelle stelle prima di iniziare la sua giornata; diceva che gli regolavano il respiro e gli permettevano di dedicarsi ai suoi studi senza sentirli troppo inutili.

Col sole alto e la luce che invadeva la casa, ciò che studiava da anni ad un tratto appariva definitivo e scontato, simile a tutti i discorsi definitivi e sistematici che per lui erano soltanto "cattivi esempi". Diceva che, non appena il sole entrava da una finestra, le piastrelle del pavimento e le sedie e il tavolo della cucina diventavano nient'altro che "suoi oggetti", e allora tutto gli appariva scontato e definitivo, insopportabile: insopportabili gli stivali di gomma sotto il portico, la macchina non sua parcheggiata da anni davanti alla casa, e anche quegli alberi di fronte che restavano immobili a deriderlo perché lui non era affatto un naturalista (come veniva considerato) e non sapeva neanche il loro nome.

Per questo, appena il sole era alto, doveva abbandonare i suoi studi, uscire di casa e avviarsi in una delle sue camminate da camminatore solitario per le campagne. Ma prima di uscire certi giorni faceva un discorso alle cose, soprattutto alle piastrelle del pavimento in cucina, che sembrava fossero lì solo per confermare un'idea che lui aveva di se stesso. Diceva a quelle piastrelle: "Io non sono il vostro padrone, anche se sono i miei occhi che vi guardano. Ed è inutile che vi presentiate scodinzolando ogni mattina come oggetti familiari, perché le nostre strade sono ben diverse."

Quasi fuggendo all'aria aperta lasciava dietro di sé quella casa che era diventata il suo ambiente, non fatto di muri e confini ma di immagini che aveva di se stesso, le quali creavano un alone attorno alle cose e l'apparenza d'una vita durevole; allora, il viottolo non asfaltato e poi un terreno aperto, i campi coltivati, un cimitero di campagna in abbandono, erano subito altri luoghi di immagini, la varietà del mondo davanti a cui aveva sempre voglia di prendere appunti. E lì, in vista d'una autostrada che attraversava quelle terre piatte, ritrovava un terreno occupato da popolazioni di erbe infestanti, che si imponevano sempre alla sua attenzione dovunque le vedesse crescere: l'ortica, la romice, lo stoppione, il cardo selvatico, la paperella, il centonchio comune, l'erba cali che viene dalle steppe, in colonie separate assieme a cartoni da imballaggio, frammenti di mattoni, residuati metallici e altri rifiuti.

Quelle erbe secondo lui non si presentavano scodinzolando ai suoi occhi: stanziate nei terreni sconvolti di tutti i continenti, in luoghi dove il suolo e l'aria erano più acidi e tutte le altre cose "oggetti" di qualcuno, gli davano sempre l'idea d'un altro mondo da cui si sentiva escluso.

Neanche le file d'alberi in distanza attraverso la nebbia, le file di pioppi cipressini e gelsi e case su un argine avvolto dalla foschia, gli sembrava si presentassero scodinzolando ai suoi occhi; non lo obbligavano a riconoscerle come un suo mondo d'immagini, di cui aver ricordi o nostalgie.

Per questo diceva che, nelle giornate di nebbia, trovandosi piantato su un argine riusciva a pensare cose che non aveva mai potuto pensare facendo il suo mestiere. La solitudine del suo corpo in quel punto, mentre gli permetteva di dimenticare le sue varie incapacità di cavarsela come si dovrebbe con gli altri uomini, gli consentiva di immaginare tutto quanto esisteva là fuori, cose, fenomeni, popolazioni, come collegato da operazioni finemente intessute dal pensiero, da infinite minuzie, infinite storie scambiate e non scambiate, che gli sembrava tenessero in piedi una trama ininterrotta nel vuoto del pianeta.

Con queste idee in testa, chiuso in una nuvola di brume, in certi momenti era preso dall'euforia. Perché allora gli sembrava che esser là su quell'argine fosse come essere dovunque; la trama ininterrotta di cui anche lui faceva parte era sempre con lui, semplicemente nel suo corpo e nel suo pensiero.

Diceva che, da quando l'avevano operato al naso per togliergli un polipo, aveva perso l'olfatto ed era diventato più razionale; negli ultimi anni era diventato anche un po' sordo e anche questo aveva contribuito a renderlo più razionale. Forse solo perdendo alcune forme di sensibilità si diventa più razionali, diceva. Ad esempio solo adesso che era senza olfatto aveva cominciato a pensare agli odori delle stagioni, e ad immaginarli come un buon orientamento nel mondo, migliore della bussola.

Diceva che non era mai stato capace di vedere niente dentro di sé come fuori di sé; troppo nervoso per tutta la sua gioventù e l'età matura, voglia continua di passare ad altro senza riconoscere i suoi limiti. Adesso vedeva che i suoi limiti erano diventati la sua strada, tracciata soltanto dalle sue infinite incapacità di fare altre cose. Aveva vissuto per più di trent'anni tra Stati Uniti e Canada senza imparare mai un accento preciso in inglese, e senza imparare mai bene quella lingua; gli accenti gli piacevano perché lo facevano sempre sorridere, ma dal suo accento chiunque avrebbe capito che lui era un uomo senza nessun luogo d'appartenenza nel mondo.

Era sempre incantato dalle stelle. Nelle stelle lontane c'era per lui una costanza e insieme un'incostanza che superavano ogni nostro pensiero. Tutti i nomi dati dagli uomini alle cose, ai luoghi, alle erbe, ai modi di vivere e di sentire, tutto ciò che per lui rappresentava la Triste Storia, era nient'altro che una piccolissima incostanza; e ridicoli i piccoli falsari come lui, falsari scientifici "moderni", che cercavano una piccola costanza fantastica attraverso l'astrazione dei nomi dati alle cose: i nomi "nuovi", i nomi "tecnici", i nomi dei luoghi che tutti citano come se fossero qualcosa di preciso, gli aggettivi, gli avverbi. Solo i verbi gli sembravano abbastanza rigorosi, anche pensando alle stelle.

Da quando era un po' sordo il sistema dei nomi dati alle cose gli appariva una grande farneticazione astratta, come i principi della sua scienza, come l'astrazione del Dio unico planetario, come l'astrazione del denaro, come molte altre astrazioni. Invece gli accenti e le intonazioni nel parlare, che sentiva nei bar o nei negozi dove andava a far la spesa, adesso nella sua sordità erano per lui un richiamo: un canto delle situazioni, mutevole secondo le ore e i luoghi e le persone, che spesso lo faceva indugiare, contento d'essere con altri ad aspettare che passi il tempo.

Nei negozi e nei bar non poteva partecipare a quel canto, perché non aveva più una lingua propria con cui parlare. Tuttavia quando rispondeva a una domanda era grato che gliela avessero fatta, perché così poteva restare con gli altri un momento di più.

Svegliandosi al mattino presto gli sembrava spesso d'essere molto a nord, in un paese ghiacciato; aveva freddo ai piedi ed era come se fosse in un bivacco tra le nevi, da solo, e non riuscisse a decidersi ad uscire dal sacco a pelo, a correre fuori per guardare il cielo nell'alba. Devo essermi ammalato, pensava allora.

Ma dopo, pisciando contro quegli alberi davanti alla casa e rispondendo così alla loro perpetua derisione, pensava che forse era soltanto rimasto al mondo troppo a lungo. E avviandosi nelle sue camminate da camminatore solitario, in certe mattine d'autunno raggiungeva un punto sopraelevato su quelle terre piatte, dove a volte riusciva a immaginare d'essere ai confini del pianeta e di avviarsi verso un momento in cui la sua esperienza si sarebbe fatta silenziosa.

Diceva che lasciando l'altro continente s'era sentito a casa sua soprattutto negli aeroporti. Vedendo attraverso un vetro gli altri passeggeri avviarsi in fila su una pista verso un aereo, ogni volta gli era parso fossero sfollati che si decidevano ad affrontare il viaggio solo perché da quest'altra parte del vetro non restava loro più niente da fare o da dire, come a lui, e come lui già sottomessi al loro destino di viaggiatori o turisti perpetui.

La donna dice che una volta non sopportava la poca generosità della gente. Adesso non ci pensa più, ma in generale le sembra che le donne siano più generose degli uomini, e i vecchi più dei giovani, tranne quando sono stupidi e incattiviti.

Molti anni fa aveva dovuto interrompere i suoi studi di veterinaria, e per un lungo periodo non aveva voluto uscire di casa, perché tutta la gente le sembrava poco generosa. Finalmente dopo molte pressioni i suoi familiari erano riusciti a portarla da uno psichiatra di Modena, un dottore abbastanza giovane che però aveva i capelli quasi tutti bianchi.

Lei, prima di parlare con quel dottore, aveva voluto guardarlo bene per capire che tipo era, e gli aveva chiesto di mettersi in mezzo alla stanza per farsi osservare. Il dottore aveva acconsentito, e lei gli aveva girato attorno osservandolo.

Poi gli aveva chiesto di levarsi la giacca per vedere come teneva le spalle. Anche a questo il dottore aveva acconsentito, sorridendo e poi informandosi: “Come mi trova?”

Lei gli aveva detto: “La trovo bello, ma anche un po’

triste, perché non si fida degli altri." Lo vedeva da come teneva le spalle che non si fidava degli altri, e gli ha chiesto come poteva lui curare la gente se non si fidava. Il dottore le aveva risposto con molta serietà: "Ha ragione, ma non è colpa mia."

Ad ogni modo lei aveva accettato di parlargli, siccome lui aveva acconsentito a farsi guardare, e questo voleva dire che era almeno un po' generoso.

Il dottore le aveva chiesto perché lei non volesse mai uscire di casa, e lei aveva risposto: "Non voglio uscire perché la gente è poco generosa e giudica troppo." Il dottore le aveva spiegato che bisogna fare uno sforzo per dimenticarsi che gli altri giudicano, altrimenti ci si paralizza, e lei gli aveva detto: "Sì, lo so, ma io sono brutta, e per me è più difficile dimenticarmelo."

Alla fine della visita il giovane dottore con i capelli bianchi le aveva fatto due profezie. La prima, che un giorno si sarebbe accorta di essere identica a tutti gli altri, perché anche lei giudicava gli altri, e poi standosene chiusa in casa era anche lei poco generosa. La seconda, che nel giro d'un anno le sarebbe successo qualcosa che l'avrebbe scossa, facendole passar di mente questi problemi.

Le due profezie si sono avverate. La seconda s'è avverata per prima, e l'altra s'è avverata in seguito come conseguenza della prima.

Un giorno stava rigovernando l'orto e ha visto nel cielo una palla infuocata che faceva una parabola verso l'alto. Poi la palla infuocata ha fatto uno zigzag con due schianti, e ha iniziato una parabola discendente fino ad un campo oltre la sua casa.

Lei è corsa nel campo, e ci ha trovato un buco che fumava. Attorno al buco c'era una corolla di terra, e quando l'ha sfiorata s'è scottata la mano. La mano ha continuato ad essere scottata per un mese, ma non si vedevano tracce di bruciature.

È accorso suo padre, che aveva sentito il sibilo e gli schianti, e pensava potesse essere una bomba persa da qualche aereo di passaggio. Poi è arrivato anche il figlio di suo fratello spiegando che doveva essere un meteorite, e allora suo padre ha voluto correre subito a telefonare a un giornalista di Modena, perché scrivesse un articolo sul meteorite caduto nel suo campo.

Lei è rimasta a guardare a lungo quel buco nel campo, che adesso non fumava più, e dentro ha visto che c'erano delle pietruzze. Le ha raccolte con una paletta, mettendole in un secchiello di plastica.

Quando è arrivato il giornalista, per prima cosa ha voluto sapere: "C'è stata la fusione del ferro?", e lei gli ha mostrato le pietruzze. Il giornalista ha detto che non c'era la fusione del ferro, e dunque quello era un meteorite senza nessun interesse; perché ne vengono giù moltissimi sulla terra di meteoriti che sono solo pietre, ma pochi hanno il ferro, ed è questo che conta.

Suo padre, che contava di diventar famoso perché il meteorite era caduto nel suo campo, è rimasto molto deluso. Invece lei aveva avuto una grande scossa nel veder apparire quel globo infuocato nel cielo, e sperava si avverasse la profezia del dottore (la seconda).

La mattina dopo ha trovato le pietruzze per terra, il fondo del secchiello di plastica s'era sciolto. Le pietruzze erano radioattive e sfiorandole con la mano pizzicavano. Allora lei le ha messe in vasetti di vetro, di quelli per le marmellate, e ha messo i vasetti nel magazzino.

E qui sono successi alcuni fatti che l'hanno colpita. Il primo è che il figlio di suo fratello e una sua cugina, andando a far l'amore nel magazzino come facevano tutti i pomeriggi (per esigenze della loro età), sul più bello si sono sentiti pizzicare le gambe, e il pizzicore è durato due settimane. Poi un giorno ha trovato il gatto che faceva dei salti contro i muri perché gli pizzicava la schiena, un altro giorno una colomba che tremava sulla finestra del magazzino, e alla fine due topi che s'erano staccati a morsi le zampe perché si vede erano andati troppo vicini ai vasetti e le zampe s'erano contaminate.

Quasi senza accorgersene è montata in macchina (non guidava da anni), ed è andata a Revere, e poi a Ostiglia in cerca di libri che le spiegassero da dove vengono i meteoriti. Le sembrava un fatto meraviglioso che quelle pietruzze venissero da spazi lontani e forse dalle stelle, e sospettava che la radioattività fosse penetrata anche in lei, risucchiandola verso qualcosa che le faceva un po' paura, ma l'attirava anche più di tutto il resto. Così, pensando solo a queste cose, non s'era neanche accorta d'essere uscita di casa e d'essere tornata tra la gente, senza più badare ai giudizi degli altri e alla loro poca generosità.

Dopo un paio di settimane ha preso un treno, ed è andata dal giovane dottore con i capelli bianchi a spiegargli che s'era avverata la sua profezia (la seconda). Gli ha detto che forse la sua anima era rimasta attirata da qualcosa fuori di lei, che c'era prima della sua nascita, ma che lei non poteva sapere cosa fosse. Per questo aveva smesso di pensare ai suoi problemi d'una volta.

Il dottore si è molto compiaciuto dell'avvenimento e le ha consigliato, per completare la guarigione, di comprarsi dei vestiti nuovi. Ha detto che quando uno indossa vestiti nuovi si sente un'altra persona, e questo le avrebbe fatto bene.

Qualche tempo dopo la donna è andata in una boutique di Modena a comprarsi un tailleur e altri abiti, per sostituire quelli che portava da quando s'era chiusa in casa. E andando in giro nei suoi vestiti nuovi, si sentiva proprio come se fosse un'altra donna, che era lei e nello stesso tempo non era lei.

Infatti era successo che indossando i nuovi vestiti lei era diventata improvvisamente bella, e dunque non era più lei, ma un'altra donna. Che fosse diventata bella l'hanno constatato in molti, compresi degli uomini di Revere, che adesso la trovavano affascinante, e quando la vedevano cercavano di corteggiarla.

Nei posti dove andava, lei guardava l'altra donna da fuori, osservandola parlare, salutare, entrare nei negozi, rispondere alle domande come si deve, e fare tutte le smorfie giuste molto disinvolta. E a poco a poco ha capito che l'altra donna giudicava tutti e diceva solo cose sentite dire dagli altri, ma le diceva sempre come se le avesse pensate lei, e perciò era così disinvolta. Infine s'è resa conto che l'altra donna diceva e faceva tutto esattamente come l'altra gente, che l'altra gente faceva e diceva tutto esattamente come quella donna quasi identica a lei, la quale era forse una specie di automa.

Ma siccome quell'altra donna se la cavava bene con la gente, e per giunta tutti la trovavano affascinante, lei la lasciava fare. In questo modo la vita le andava bene.

Ha scritto al dottore per dirgli che anche la sua prima profezia s'era avverata, in quanto lei aveva finalmente capito d'essere identica a tutti gli altri (cioè, se non lei, l'altra che faceva tutto al posto suo). Per ringraziarlo del suo aiuto, gli ha anche spedito una poesia che aveva composto per lui.

Sono passati molti mesi. In un giorno d'estate il giovane dottore è andato a farle visita nella sua casa di campagna vicino a Revere, e allora la donna gli ha chiesto cosa ne pensasse della poesia che aveva composto per lui e che gli aveva spedito.

Il dottore ha detto: "È una strana poesia, bizzarra e difficile all'inizio, e invece semplice e naturale alla fine. Ed è come la sua vita, che è stata bizzarra e difficile nella prima parte, ed è migliorata e migliorerà man mano che lei invecchia, come spesso accade a chi ha avuto una giovinezza scombinata."

Questa è stata la terza profezia del dottore, e anche questa s'è avverata attraverso gli anni, semplicemente col passare dei giorni e delle stagioni e dei pensieri che vengono nella mente.

Il giovane dottore, da tempo innamorato di lei perché era una donna affascinante, un bel giorno le ha chiesto di sposarlo. E lei ha acconsentito, siccome fin dalla prima volta lui s'era mostrato almeno un po' generoso.

Adesso ha cinquantadue anni, una figlia, e tutto le va

bene. Dice che, diventando vecchi, si impara a non badare più molto a quella specie di automa che fa tutto per noi, che parla quando deve parlare, saluta quando lo salutano, ride quando bisogna ridere. Siccome l'anima è sempre più attirata da qualcosa fuori di noi, allora (se non si è stupidi e incattiviti) si impara anche a non credere più alle parole e ai pensieri dell'altro che tratta con la gente al posto nostro. Si impara a trovar ridicoli i suoi giudizi su tutto, e a prenderli in giro parlando tra sé. E così, parlando molto tra sé, si può anche diventare più generosi.

LA CITTÀ DI MEDINA SABAH

Un giovanotto di Mirandola, in provincia di Modena, aveva studiato per diventare ingegnere. Quando è diventato ingegnere è stato assunto in una fabbrica di ascensori, e quasi subito è stato mandato in Africa a installare e collaudare un impianto di ascensori in un palazzo governativo.

È partito, e dopo la sua partenza di lui non si è più saputo niente per tre anni. Quando è tornato ha venduto il podere di suo padre e ha impiantato una piccola fabbrica; ma non voleva mai parlare di quello che gli era successo in Africa, né dire in che paesi era stato.

Un giorno ha deciso di sposarsi e il padre della sposa gli ha detto: "Io conoscevo tuo padre e sono contento che sposi mia figlia, ma darò il mio consenso al matrimonio solo quando mi avrai raccontato cosa ti è successo in Africa."

Il giovanotto ha risposto che avrebbe raccontato la sua storia solo il giorno del matrimonio e non prima, e così è stato. Durante il banchetto di matrimonio ha raccontato cosa gli era successo in Africa.

Aveva caricato su due camion il materiale da installare e stava percorrendo una strada lunghissima e tutta dritta vicino a un confine; con lui c'era un accompagnatore yoruba che lo informava su tutto ciò che vedevano.

Poi erano fermi all'ingresso d'un villaggio e sentivano una musica venire da lontano. Lui e l'accompagnatore yoruba e i due camionisti wolof si avviavano a piedi verso quella musica; e in una stradina erano accolti da donne indigene, che li invitavano in una casa e servivano loro da bere e da mangiare.

Sono rimasti in quel posto per una settimana, serviti dalle donne indigene sul patio d'una grande casa di legno, da dove sentivano distintamente notte e giorno il suono della musica. Mangiavano e dormivano e alla sera andavano a visitare le strade della città. Lui chiedeva al suo accompagnatore yoruba: "Ma dove siamo?" L'accompagnatore rispondeva: "Siamo nella città di Medina Sabah," ma non voleva dirgli altro.

Nelle strade c'erano bande di bambini che correvano urlando e cantando, e l'accompagnatore spiegava che i bambini inventano quasi tutte le canzoni. Poi spiegava: "L'orchestra della Grande Nonna che senti in distanza è formata da cinquanta donne che suonano tutti gli strumenti, ed è diretta dalla Grande Nonna che ha novant'anni. I bambini gridando inventano ogni giorno nuove canzoni, che poi l'orchestra della Grande Nonna suona con cinquanta strumenti. Viene anche gente a registrarle e le diffonde in tutto il mondo."

Quando lui ha chiesto di vedere la grande orchestra di donne, gli è stato detto che non si poteva. Seduto sul patio della casa poteva ascoltare quella musica notte e giorno senza interruzioni, e mangiare e bere senza spendere un soldo; ma non si poteva andare a vedere l'orchestra della Grande Nonna.

Dopo una settimana lui ha abbandonato i suoi compagni, ed è tornato a piedi sullo stradone. Qui ha trovato che, dei due camion, ci restavano solo le cabine e i cassoni vuoti; tutto il resto era stato rubato.

Arrivato nella capitale denunciava il furto e veniva immediatamente messo in prigione, perché il materiale da installare era del governo e lui ne era responsabile.

In prigione, dove è rimasto per più d'un anno, ha fatto amicizia con un raccontatore bandial, che era in prigione perché non aveva voluto accettare il controllo delle cooperative dello stato sul suo raccolto; era venuto nella capitale per parlare con i dirigenti delle cooperative, ma due poliziotti l'avevano subito arrestato.

Costui gli ha spiegato la differenza fondamentale che c'è tra i raccontatori di storie, come lui, e i griot, che sarebbero dei narratori di genealogie.

Il raccontatore bandial non si fidava dei griot, perché sono tutti falsi e inventano le genealogie delle famiglie o dei capi di stato, facendosi pagare in anticipo e poi inventando quello che vogliono. Siccome inventano quello che vogliono diventano potenti.

I raccontatori di storie invece non inventano quello che vogliono, devono attenersi a quello che dice la storia. E a un raccontatore non si può chiedere: "Ma è vera la tua storia? è veramente successo così?", perché sarebbe una grande offesa. Loro raccontano esattamente quello che dice la storia, non quello che s'inventano loro.

Un giorno nei corridoi della prigione il raccontatore bandial ha visto un griot diola, e l'ha subito riconosciuto perché aveva la capacità di riconoscere un griot a colpo d'occhio, anche se lo vedeva da molto lontano. Gli ha gridato: "Ehi, griot, ti ho visto!", e il griot è scappato a nascondersi dalla vergogna.

Il raccontatore sapeva tutto su Medina Sabah. Gli ha raccontato come succeda spesso che i camionisti arrivino su quella strada con i camion pieni di riso o arachidi, si fermino attirati dalla musica, e seguendo il richiamo della musica vengano accolti dalle donne. Le donne offrono loro da bere vino di palma e da mangiare riso e pesce per giorni e giorni, e quando i camionisti tornano sulla strada il loro carico è scomparso e i camion sono senza motore e senza ruote.

Il raccontatore diceva anche che ci sono dei camionisti che sanno benissimo a cosa vanno incontro, non appena mettono piede a Medina Sabah; e sanno che dopo finiranno in prigione per aver perso il loro carico e il loro camion; però non rinuncerebbero per niente al mondo al piacere di seguire quella musica, e di farsi servire dalle donne restando ad ascoltare in distanza l'orchestra della Grande Nonna.

Il raccontatore bandial ha confermato che tutte le canzoni sono inventate dai bambini che giocano per le strade. Ma, a differenza d'altri villaggi, lì c'è quell'orchestra di cinquanta donne che raccoglie le canzoni e le suona, così che tutti possono ascoltarle notte e giorno. E i manager dei più famosi gruppi musicali vanno a registrare queste canzoni che si sentono nell'aria; poi un cantante famoso le mette in un disco e si appropria di quella musica.

Ci sono dei cantanti che in questo modo sono diventati tanto famosi e tanto potenti da poter sfidare il governo. Ce n'è uno che è più potente di qualunque rock star in tutto il mondo, e s'è costruito una grandissima fortezza dove la polizia non può entrare, dove la gente vive secondo la sua legge e lui può condannare a morte chiunque.

Questa è la grande potenza delle canzoni, che prima attirano i camionisti e poi si diffondono in tutto il mondo.

Quando lo sposo ha finito di raccontare la sua storia al banchetto di nozze, nessuno sapeva cosa dire e c'è stato un gran silenzio. Il giorno dopo un amico gli ha chiesto perché avesse aspettato tanto tempo prima di rivelare cosa gli era successo in Africa; il raccontatore ha risposto che lui non sopportava le chiacchiere ai banchetti di nozze, e riservandosi quella storia per l'occasione era sicuro che avrebbe tappato la bocca a tutti.

LA RAGAZZA DI SERMIDE

A Sermide un tempo esisteva un ponte di barche che attraversava il Po e portava a una fabbrica con ciminiere di mattoni non ancora anneriti. Un giorno quella fabbrica ha dovuto chiudere e uno dei suoi dirigenti è scomparso senza lasciar traccia. Quest'uomo aveva una figlia, alla quale prima di scomparire aveva intestato la proprietà d'una grande villa e le rendite di altre proprietà fondiarie. Molti anni dopo sua moglie moriva e la figlia andava ad abitare in una metropoli per studiare all'università. Qui incontrava uno studente con i capelli dritti e si metteva a vivere con lui.

Vivevano in un piccolo appartamento assieme a un terzo studente molto magro. Lo studente dai capelli dritti andava in giro tutto il giorno a fare discorsi politici, nei bar, all'università o davanti alle fabbriche. La ragazza di Sermide trascurava gli studi, ritenendo di imparare molto di più dai discorsi dello studente con i capelli dritti; perciò lo seguiva in giro ascoltandolo parlare sempre, oppure lo aspettava a casa dormendo.

Siccome dopo è venuta un'epoca in cui nessuno voleva più sentire discorsi politici, e lo studente invece continuava a farne, molti gli hanno detto che era meglio se stava zitto, oppure andava a parlare da un'altra parte.

Così lui e la ragazza di Sermide decidevano di cercare un ambiente più adatto alle loro idee, e si trasferivano nella capitale. Qui però era impossibile trovare un appartamento, e i due dovevano andare ad abitare come ospiti in casa d'un compaesano dello studente.

Lo studente entrava in contatto con uno sceneggiatore che aveva scritto molti film, e con persone altolocate disposte ad aiutarlo a lavorare nel cinema, per certi debiti di riconoscenza che avevano verso suo padre. Messa a punto una sceneggiatura, e in attesa d'un finanziamento governativo promessogli dalle persone altolocate, decideva di iniziare subito a girare un film.

Il film doveva essere a bassissimo costo; una storia di vita vissuta con due personaggi che parlavano di politica per tutto il tempo.

Una banca ha concesso un prestito, avendo come garanzia patrimoniale la villa di Sermide posseduta dalla ragazza; e così lo studente ha potuto cominciare il suo film.

Al sesto giorno di riprese i soldi erano finiti e un prestito ulteriore, concesso a stento dalla banca, bastava appena a liquidare i tecnici. Poi una notte le attrezzature cinematografiche prese in affitto venivano rubate, e l'indomani le persone altolocate facevano sapere allo studente che il finanziamento governativo era bloccato.

In compenso però gli offrivano di realizzare un documentario su alcune zone sottosviluppate nel sud dell'Italia.

I due fidanzati partivano per i sopralluoghi in una zona sottosviluppata, dove scoprivano l'esistenza d'un artigianato locale sconosciuto. Tornati nella capitale decidevano di aprire un negozio per vendere e far conoscere gli oggetti di quell'artigianato locale sconosciuto, di cui intanto avevano acquistato una quantità di esemplari, consistenti in fischietti di terracotta, statuine, fuochi d'artificio, ciotole e cucchiai di legno.

Il compaesano dello studente, trovandosi la casa piena

di quegli esemplari d'un artigianato sconosciuto, che occupavano tutto un corridoio impedendo la circolazione, pregava i due di cercarsi un appartamento e di portar via al più presto quella roba.

Ed è così che, girando per la città in cerca di una casa da affittare, lo studente dai capelli dritti scopriva uno splendido appartamento nobiliare ridotto in pessime condizioni, che veniva ceduto per un prezzo irrisorio.

Proponeva alla ragazza di vendere la sua villa di Sermide per acquistarlo, col progetto di rivenderlo quanto prima per una cifra vertiginosa. Contemporaneamente però gli amministratori delle rendite della ragazza la informavano che le sue proprietà dovevano essere vendute, per pagare grosse ipoteche accumulatesi negli anni. E la ragazza doveva tornare in fretta a Sermide.

Lo studente, rimasto solo nella capitale, conosceva una giovane contessa americana appassionata di musica rock. A questa proponeva di finanziare e organizzare assieme a lui una serie di concerti con i gruppi rock più famosi del mondo, concerti da tenersi nei paesini delle zone sottosviluppate in cui era stato. Poiché la contessa americana era entusiasta dell'idea, lo studente tornava nella metropoli del nord per contattare alcuni amici che lavoravano in una casa discografica.

Restava nella metropoli tre giorni. Il primo giorno incontrava qualcuno appena tornato dalla Provenza, che gli parlava delle lane provenzali; con costui si accordava per fondare quanto prima una ditta di importazione delle lane provenzali.

Il secondo giorno incontrava un vecchio compagno politico che gli proponeva di girare un documentario sul movimento di liberazione del Belucistan; e lui accettava senz'altro la proposta, fissando la data della loro partenza.

Il terzo giorno infine incontrava lo studente molto magro con cui aveva abitato a lungo, e questo gli confidava d'essere in possesso di alcuni milioni.

L'estate precedente era andato a lavorare in un casello

sull'autostrada. Un camion aveva investito il casello distruggendolo completamente, e mandando lo studente magro all'ospedale per vari mesi con tutte le ossa rotte; dopo di che, un'assicurazione gli aveva pagato un risarcimento di alcuni milioni.

Lo studente dai capelli dritti subito proponeva all'amico di raddoppiare il suo capitale in una settimana; gli spiegava come, e lo studente magro accettava la proposta. I due partivano l'indomani per l'Olanda, con l'idea di acquistare una grossa macchina straniera usata, portarla in Italia e rivenderla guadagnandoci molto.

In Olanda comperavano una vecchia Jaguar, e durante il tragitto di ritorno fondevano il motore. Dovevano restare in Germania per una settimana in attesa che il motore venisse rifatto; spendevano alcuni milioni per rifare il motore e per le spese di viaggio; tornavano in Italia, e la mattina dopo la macchina veniva sequestrata dalla polizia perché importata in modo illecito.

Lo studente magro veniva denunciato, doveva pagare nove milioni di multa; col che ha perso tutto il suo capitale esattamente in dodici giorni, a partire dal momento in cui aveva incontrato casualmente per strada lo studente dai capelli dritti.

Intanto la ragazza di Sermide aveva venduto la villa; non le restava più nessuna proprietà o rendita; doveva pagare i debiti con la banca, con lo sceneggiatore e con la ditta che aveva affittato le attrezzature cinematografiche poi rubate.

Col ricavato della vendita della villa si trattava adesso di acquistare il grande appartamento nobiliare e compiere i lavori di restauro, per rivenderlo poi ad una cifra vertiginosa e pagare tutti i debiti.

È venuta l'estate. Lo studente dai capelli dritti è partito verso il sud con la giovane contessa americana appassionata di musica rock, per organizzare i concerti nelle zone sottosviluppate, e anche perché i due intanto s'erano fidanzati.

La ragazza di Sermide ha passato l'estate seduta per terra nel grande appartamento nobiliare, tra travi crollate, pavimenti sottosopra, muri ammuffiti e finestre sfondate, leggendo romanzi e mangiando pane e mele.

È stato all'inizio dell'autunno che un telegramma le ha annunciato il ritorno di suo padre, scomparso tanti anni prima senza lasciar traccia. Durante il viaggio di ritorno, ha visto i campi già bruciati e le prime nebbie su queste pianure. Ha riabbracciato suo padre e gli ha raccontato tutta la sua storia. Suo padre l'ha ascoltata e poi ha detto pateticamente: "Che Dio perdoni la vostra innocenza."

STORIA D'UN FALEGNAME E D'UN EREMITA

C'era un uomo che abitava a Ficarolo, in provincia di Ferrara, era un falegname. Una sera tornando a casa in bicicletta, in una stradina che immette sulla piazza del paese, veniva investito da una macchina di forestieri perché pedalava troppo lentamente. Siccome nella macchina c'erano altri due passeggeri, e nessun testimone aveva assistito all'incidente, è stato facile per il guidatore sostenere che il ciclista gli aveva tagliato la strada.

Dopo alcune settimane d'ospedale il falegname si rivolge a un avvocato per essere assistito nel processo. Questo avvocato propone un accordo con la parte avversa, mostrando di dubitare che la sola testimonianza del falegname sia sufficiente a vincere la causa. Quanto al falegname, poiché da una parte non capisce neanche la metà delle obiezioni dell'avvocato, e dall'altra insiste sul suo buon diritto ad essere risarcito, alla vigilia dell'udienza licenzia il legale e decide di affrontare il processo da solo.

Si presenta dunque da solo in tribunale, sostenendo che di avvocati non ce n'è bisogno in quanto lui ha ragione e deve essere risarcito.

Dopo varie obiezioni a procedere e la convocazione d'un difensore d'ufficio, finalmente viene il momento in cui i passeggeri della macchina sono chiamati a deporre. E qui il falegname, accorgendosi che ogni parola dei testimoni è falsa, rimane così stupefatto che non vuol neanche più parlare col suo difensore d'ufficio; e, quando infine è sollecitato dal giudice ad esporre la sua versione dei fatti, dichiara di non aver niente da dire e che tutto va bene così.

È dunque condannato a pagare i danni dell'incidente, oltre alle spese del processo.

Pochi giorni dopo vende tutta l'attrezzatura della falegnameria al suo aiutante, che da tempo desiderava mettersi in proprio, cedendogli anche la bottega e la licenza d'esercizio. Torna a casa e resta seduto su una sedia in cucina per una settimana, rispondendo sempre nello stesso modo alla moglie che gli fa domanda: che ha caldo alla testa e non può parlare con lei.

Per un'altra settimana resta seduto in un bar a guardare la gente che passa sulla piazza, e una sera invece di tornare a casa si avvia fuori dal paese. Si avvia a piedi verso l'argine del Po; e dopo molto camminare, nell'alba arriva ad una capanna dove abita un pescatore eremita.

Questo eremita è un ex campione di automobilismo che, dopo essersi ritirato dalle corse, aveva aperto un'officina meccanica dove venivano "truccati", ossia potenziati, i motori di vetture sportive. Stancatosi però di quel lavoro e dopo aver letto molti libri di psicologia, s'era deciso a diventare eremita pescatore e s'era ritirato a vivere in una capanna sulle rive del Po.

La capanna dell'eremita era fatta di vecchie lamiere e altri materiali di recupero; sopra la porta un pannello diceva GOMME MICHELIN.

Il falegname sa che l'eremita s'è ritirato a vivere in quella capanna perché non vuole più parlare con nessuno. Dunque appena arrivato non gli rivolge la parola, si siede e si mette a guardare il fiume.

È d'estate, e per circa un mese i due vanno a pescare assieme e dormono nella stessa capanna sempre in silenzio.

Una mattina il falegname si sveglia e l'eremita non c'è

più, perché è andato ad annegarsi nel fiume, sotto il vecchio ponte di Stellata.

Quel giorno il falegname ha modo di assistere da lontano al salvataggio dell'eremita, che peraltro nuota benissimo e avvolto in una coperta viene portato via dalla moglie, a bordo d'una grossa macchina sportiva, concludendo la sua carriera di eremita.

Il falegname è tornato in paese e ha chiesto al suo aiutante di assumerlo come aiutante, nella sua vecchia bottega. Così è stato. Il falegname vive ancora e solo da poco è andato in pensione.

TRAVERSATA DELLE PIANURE

Più di settant'anni fa, verso il 1910, mia madre ha attraversato le pianure su un carretto, assieme ai fratelli, il mobilio, i genitori. I luoghi che ha attraversato a quei tempi dovevano essere pieni di paludi e moltissimi paesi forse non esistevano ancora. Dove non incontravano paludi forse trovavano maceri di canapa o risaie. Le strade dovevano essere poco più larghe dei viottoli tra i campi, con molti gelsi e olmi, probabilmente pochissimi pioppi a quei tempi, forse zone di farnie e lecci.

Il viaggio deve essere durato un giorno e una notte, o forse di più. Mio nonno e mia nonna erano sarti, avevano con sé cinque bambini, tre maschi e due femmine; mia madre doveva avere allora sette o otto anni.

Quando sono arrivati alle porte della città devono aver attraversato una bella piazza, e aver visto la chiesa e l'alto campanile con l'orologio, il ponte sul canale.

Al di là del ponte c'erano le mura e una porta d'ingresso alla città, che si chiudeva al tramonto come tutte le altre porte della città, immagino. Qui i doganieri controllavano i carichi dei viandanti. Forse i doganieri li hanno fatti scendere tutti dal carro, per controllare che non ci fossero merci di contrabbando tra i mobili.

Prima di farli entrare in città i doganieri hanno detto: "Ma perché venite a stare qui? In campagna si sta meglio, si vive beati. Non lo sapete che in città l'aria è cattiva, c'è sempre chiasso, e il sole non riesce mai ad andar giù dall'orizzonte?"

Questo è l'unico particolare di quel viaggio che mi è stato raccontato. Una sorella di mia madre mi ha ripetuto per tre volte il racconto, a distanza di tempo, con le stesse parole dette in dialetto dai doganieri, che lei ricorda come una formula.

Oltre a questo ricorda che quella sera, e per molte altre sere, i tre fratelli di mia madre hanno tenuto d'occhio la prospettiva di Porta Mare, per vedere se il sole riusciva ad andar giù da quella parte.

Davanti a loro doveva esserci una strada lunga e piuttosto larga, con l'acciottolato e case molto piccole ai lati. Nelle finestre all'altezza della strada, ogni casa doveva avere inferriate in ferro battuto con forme diverse. Diversi l'uno dall'altro dovevano essere anche tutti i portoni delle case, anche quelli piccoli, col battacchio in mezzo o una maniglia a lato per scampanellare.

I colori della strada che avevano di fronte dovevano essere tutti smorzati, nessuno dei colori netti che conosciamo noi; dovevano esserci sfumature di ocra e seppia e terra di Siena nell'intonaco delle case, il colore del mattone vecchio in una chiesa, il grigio polveroso dell'acciottolato fino in fondo alla strada.

Verso sera forse vedevano gente sedersi davanti alle porte. Non doveva esserci molto chiasso, perché immagino che tutti gli abitanti di quella strada fossero seri artigiani che parlavano senza mai alzare la voce, come quelli della famiglia di mia madre. Immagino anche che avessero tutti vestiti larghi, non aderenti al corpo; poi immagino ci fosse gente che camminava in mezzo alla strada a gruppi sparsi, bambini che vagavano nel buio.

In fondo all'imbuto di quella lunga strada c'era la prospettiva, ossia le mura di cinta e una porta d'ingresso alla città, chiamata Porta Mare. E là non si riusciva mai a vedere il sole andar giù dall'orizzonte.

Dopo quel viaggio mia madre s'è ammalata, tremava e sudava tutta la notte, ha perso i capelli ed è diventata tutta nera. L'hanno portata all'ospedale dove poi la curavano con la medicina del kifir, che sarebbe uno yoghurt usato allora per disintossicare la gente.

I tre fratelli hanno trovato lavoro, uno come aiutante d'un calzolaio e due come apprendisti falegnami; ben presto però uno dei due apprendisti falegnami s'è messo a fare i pavimenti in legno.

Una volta mia zia raccontando quella storia deve aver aggiunto che, quando mia madre è uscita dall'ospedale, i suoi fratelli avevano già esplorato tutti gli angoli della città; e così hanno potuto portarla finalmente a vedere il sole che tramonta, non a Porta Mare che è ad est, ma dalla parte opposta, ad ovest.

UN CELEBRE OCCUPATORE DI CITTÀ

Una notte del mese di maggio nell'anno 1922, migliaia di braccianti agricoli si mettevano in viaggio dalle zone di Codigoro, Massafiscaglia, Migliarino, Goro, Porto Garibaldi, su grandi barconi trainati a riva da cavalli. Da molti altri paesi nell'alba un altro esercito di lavoratori agricoli si metteva in marcia verso Ferrara, a piedi, in bicicletta o su carri. Al mattino quelli dei barconi scendevano sulla darsena dell'Argine Ducale e assieme agli altri entravano in città.

Il capo di questa adunata era un giovanotto non molto alto, con baffi e capelli che formavano due triangoli ai lati del cranio. Era un ex studente, laureatosi in divisa durante la guerra, che continuava a portare scarpe e calzoni da soldato. Portava calzoni con sbuffi laterali, una fascia di seta in cintura, un fiocco al collo. Quando parlava faceva sempre ampi gesti con le mani nell'aria.

A quei tempi i latifondisti erano obbligati ad assumere un certo numero di disoccupati per lavori agricoli stagionali, in proporzione di sei persone ogni trenta ettari di terreno. A partire da aprile questi braccianti tornavano ad essere disoccupati fino alla fine dell'estate. Per occuparli il governo solitamente stanziava una certa quota per lavori pubblici destinati a quella provincia. Quell'anno nessuna quota era stata stanziata, e l'occupazione della città doveva obbligare il governo a concedere le solite spese per lavori pubblici.

Il giovanotto vestito da soldato è sfilato quel giorno per la città alla testa dell'esercito di disoccupati. Ha fatto molti discorsi, ha costretto il prefetto a telefonare al ministro per richiedere l'immediato inizio dei lavori pubblici. Ha ottenuto quel che voleva ed è stato applaudito per le strade.

Una settimana dopo, tornando a dormire nella sua stanzetta di ex studente che vive in famiglia, annotava di essere felice per il riconoscimento generale della sua impresa sui giornali e per le congratulazioni dei capi.

Occupare una città era adesso per lui una cosa semplice. Bastava diramasse un ordine, che l'ordine arrivasse a destinazione e fosse ritrasmesso ad altri, e decine di migliaia di persone erano pronte a muoversi.

I suoi ordini erano biglietti scritti con larga calligrafia che formava delle ellissi allungate verso l'alto. Ogni ordine, molto dettagliato (orari, punti di ritrovo, direzioni da prendere), era accompagnato da clausole d'ordine morale e si concludeva con incitamenti al lavoro, spesso con oscure minacce per chi non faceva il proprio dovere. La sua firma era un tratto unico di penna, che indicava un gesto sbrigativo.

Gli ordini erano affidati a uomini in bicicletta, e i destinatari dovevano inviare immediata risposta scritta, o attraverso gli stessi uomini in bicicletta o con altri mezzi. Le campagne attorno erano tutte piatte e le distanze non eccessive. Solo in casi di urgenza si ricorreva a un messaggero in automobile.

Con i capi comunicava attraverso lettere di molte pagine, affidate a membri dell'organizzazione che viaggiavano in treno. In queste lettere egli divagava spesso, usando molti verbi al futuro, e mettendo dovunque dei superlativi assoluti e dei punti esclamativi. I capi rispondevano con lettere scritte a macchina in stile più laconico.

Nelle lettere ai capi spesso alludeva a metodi nuovi con cui penetrare in zone non ancora controllate da altri; e, assieme ai biglietti inviati ai suoi subalterni, a volte diffondeva frasi di incitamento riferite a tali metodi. Queste frasi venivano, per suo ordine, esposte nelle sedi locali dell'organizzazione. A lui si deve una frase tutt'ora esposta in alcune banche, benché molto enigmatica.

I capi gli avevano affidato il controllo d'una vasta regione. Ai suoi ordini aveva incaricati di zona, che a loro volta comandavano dirigenti locali, che a loro volta comandavano incaricati di gruppo, e ogni gruppo era composto di mille persone.

In tal modo poco tempo dopo avrebbe facilmente occupato la città di B. e in seguito la città di R., dove la folla aveva linciato un facchino appartenente alla sua organizzazione. Un giovanotto con i capelli al vento sarebbe arrivato una mattina a R., in piedi su una automobile scoperta, a far vendetta.

Avrebbe chiesto ai carabinieri di intervenire ai funerali del facchino linciato, per evitare incidenti tra le parti avverse. Con quel trucco avrebbe dirottato tutta la forza pubblica che presidiava la città, e avrebbe così potuto occupare tranquillamente la sede ufficiale degli avversari, un grande albergo nel cuore della città. Il suo antagonista, un uomo grassoccio con l'aria da commerciante, sarebbe uscito in lacrime dall'albergo tra due ali d'uomini armati.

Nella notte, mentre lui persuadeva il prefetto e i carabinieri a prevenire uno scontro aperto tra le parti in causa, i suoi uomini sarebbero andati a incendiare la sede delle cooperative agricole, che avversavano la sua organizzazione. Tornando verso l'albergo occupato lui avrebbe contemplato le fiamme che si alzavano nel buio, e avrebbe notato che i suoi uomini erano "d'ottimo umore".

L'indomani si sarebbe fatto prestare dalla questura una fila di camion, per portar via i suoi uomini dalla città prima che vi fossero gravi scontri; e con quei camion avrebbe battuto le campagne, incendiando cooperative e circoli politici, andando a scovare avversari nelle loro case e bastonando molta gente.

Nella notte, dopo queste imprese, avrebbe sostato in aperta campagna a guardare le stelle.

La settimana successiva si sarebbe presentato con il suo esercito davanti alla città di P., per occupare il quartiere oltre il fiume, dove la popolazione aveva eretto barricate. Un giovanotto avvolto in una vecchia mantella del tempo di guerra, non più con gambali di pezza da soldato ma con stivali da comandante, si sarebbe fermato a guardare in distanza la città da occupare.

Poiché il prefetto era stato incapace di impedire l'insurrezione armata nella città vecchia, lui sarebbe entrato in città con il suo esercito in bicicletta e avrebbe dato battaglia agli insorti.

Sarebbe riuscito ad attraversare i ponti e ad espugnare la zona oltre il fiume? No, non ci sarebbe riuscito; ma avrebbe ceduto il passo con onore all'esercito del re, mettendosi sull'attenti davanti a un generale che gli prometteva di riportare l'ordine al più presto.

Prima di andarsene dalla città avrebbe fatto affiggere dei proclami, in cui spiegava alla popolazione che i suoi uomini erano accorsi a difendere i Valori della Storia. Molta gente, scendendo dai tram o passando in bicicletta, avrebbe guardato appena quei proclami senza fermarsi, perché in quei giorni pioveva pur essendo primavera avanzata.

All'inizio di ottobre un giovanotto in divisa con spalline da comandante è nascosto in un paese nei pressi di P., ricercato dalla polizia. Sta preparando l'occupazione e la sottomissione definitiva dei quartieri oltre il fiume, ancora in rivolta. Detta ordini ai suoi ufficiali e manda messaggi ai capi dell'organizzazione; il suo esercito dovrà irrompere in vari punti nella zona oltre il fiume, far evacuare donne e bambini, sequestrare tutte le armi degli insorti, bruciare e radere al suolo molte case.

Al di là del fiume c'è un capo sindacalista che veste come un personaggio dei romanzi d'avventure, anche lui con calzoni a sbuffi e stivali e fascia di seta in cintura.

Il giovanotto in divisa da comandante è impaziente di affrontarlo.

Lo affronterà? No, perché distolto da una laconica lettera dei capi. Tutta l'organizzazione sarà mobilitata per uno scopo più importante, e l'anno dopo il giovanotto potrà smettere di occupare città e potrà tornare in famiglia, per il successo completo e definitivo della sua organizzazione.

Scriverà allora un falso diario di quell'anno di lotte, di cui ancora gli studiosi si servono per raccontare le imprese dei grandi occupatori di città e altri fatti importanti del passato.

Lasciamo il nostro giovanotto mentre scrive il suo falso diario. È in buona salute, mangia con appetito, di notte non soffre d'insonnia, è anche capace di esprimere in parole un'idea che s'è fatto di se stesso.

La tomba di famiglia che lo aspetta, nel cimitero di Ferrara, è un grande cassone di marmo nero con venature grigie, dentro una cappella dove una scritta in lettere metalliche compone il nome della sua casata. Una siepe di bosso circonda la cappella, e sul suo angolo sinistro si incrociano due viali ghiaiosi del cimitero. Nel terriccio tra la ghiaia e la siepe di bosso, recentemente è spuntata una strana pianta selvatica che alcuni chiamano aglina: sarebbe una piccola pianta che, se sfregata, diffonde l'odore dell'aglio.

LA VITA NATURALE, COSA SAREBBE

Una storia che si svolge dalle parti di Argenta, in provincia di Ferrara.

Il figlio d'un agricoltore che studiava per diventare medico aveva affittato una stanzetta in città, a casa d'una vedova; qui spesso parlava a lungo col figlio deficiente della vedova, spiegandogli la sua filosofia.

La filosofia del figlio dell'agricoltore diceva che, se uno non è naturale e non fa le cose naturalmente come le bestie, è meglio che si spari; a lui non piaceva la gente con troppe cerimonie perché non è gente naturale, gli piaceva invece molto la chimica perché è una cosa naturale.

Il frutteto di suo padre produceva mele e pere; ma in quel periodo c'erano troppe mele e pere sul mercato e il frutteto non rendeva più.

Il figlio dell'agricoltore pensava che suo padre fosse falso come tutti i contadini, e d'altra parte il padre era intimidito dal figlio che andava all'università. Così i due non si parlavano, ma c'erano tra di loro ogni tanto urli.

Il figlio urlava al padre che lui era un ignorante, neanche capace di fare i suoi affari. E per dimostrazione una volta gli ha venduto tutto il raccolto di pere e mele, quell'anno rovinate dalla grandine e quindi invendibili.

Il figlio dell'agricoltore ha comprato una automobile e s'è messo in viaggio per andare a riscuotere i soldi, dal grossista a cui aveva venduto la frutta. Ha portato con sé un amico che era un ufficiale idraulico (sorvegliava il livello delle acque in un porto-canale), il figlio deficiente della vedova, e anche l'altro figlio della vedova, che era appena diventato ragioniere.

Durante il viaggio i quattro si fermavano spesso a mangiare e bere, e il figlio dell'agricoltore invitava sempre tutti, perché la sua filosofia diceva che, se uno ha soldi, deve dividerli con gli altri. Nelle discussioni durante il viaggio hanno sviluppato molte idee di quella filosofia, soprattutto l'ufficiale idraulico che parlava spesso di Gesù Cristo.

Al termine del lungo viaggio che li ha portati all'estremo sud, non sono riusciti a trovare il grossista; costui, inseguito da debiti e richieste di fallimento, si era reso irreperibile.

Sono stati in giro a visitare le spiagge deserte d'inverno per molti giorni, e sempre a spese dell'agricoltore. Finché, in un albergo sperduto, hanno trovato quel grossista.

Costui condivideva in pieno la filosofia dei quattro, e per qualche giorno è stato invitato a mangiare e bere anche lui dal figlio dell'agricoltore, il quale poi gli annullava il debito perché riconosceva che le mele e pere vendutegli erano rovinate dalla grandine e invendibili.

Quando si sono lasciati erano grandi amici; per aiutare il grossista, il figlio dell'agricoltore gli ha anche fatto un prestito, lasciandogli un assegno sul conto corrente di suo padre.

Al ritorno del figlio dal lungo viaggio, l'agricoltore gli ha spiegato che erano rovinati.

Dopo un altro tentativo di dare un esame di medicina che gli andava sempre male, il figlio dell'agricoltore decideva di abbandonare gli studi e di trasformare il frutteto del padre. A suo padre era venuto un collasso e dopo non parlava più, viveva in una stanza per conto suo e non voleva saperne di niente.

Dal momento che le mele e le pere non rendevano, il

frutteto è stato abbattuto e al suo posto veniva impiantata una coltura d'alberi da pesca e albicocca. Il figlio dell'agricoltore si occupava del frutteto, ma poco dopo succedeva che la sua fidanzata restasse incinta, e allora lui abbandonava tutto e scompariva per un pezzo.

Tornato in città, nella stanzetta in affitto spiegava al figlio deficiente della vedova che lui non si sarebbe mai sposato. Prima di tutto perché i preti erano per lui come il fumo negli occhi, e poi perché sposarsi è la cosa più innaturale che ci sia.

Intanto il frutteto abbandonato non aveva prodotto niente, e lui doveva tornare al suo paese per cercarsi un lavoro. In questo periodo dalle sue parti cominciavano ad arrivare degli esperti in cerca di oggetti da mettere nei musei della civiltà contadina, e con questi il figlio dell'agricoltore ha avuto lunghe discussioni, perché i musei non gli sembravano cose naturali.

Comunque ha ceduto loro molti vecchi attrezzi agricoli di suo padre. E quando li ha portati a vedere la stanza dove suo padre dormiva come un vecchio contadino, su un letto di ferro e materasso di foglie di granoturco e con scaldaletto da vecchio contadino, gli esperti si sono molto interessati a quegli oggetti; tanto che lui glieli cedeva e loro li portavano via immediatamente.

Al ritorno da un giro in bicicletta, suo padre non ha più trovato il proprio letto. Senza dir niente s'è trasferito a dormire nel vecchio pollaio, dove ha portato una branda; s'è chiuso dentro con un paletto di ferro e non è più uscito di lì.

Nel paese vicino avevano fondato una cooperativa edile che aveva anche traffici immobiliari. Il figlio dell'agricoltore veniva assunto e, dal momento che sapeva parlare molto bene, ha fatto subito carriera. Aveva affittato il frutteto di cui non poteva più occuparsi, e un bel giorno l'hanno anche eletto presidente della cooperativa.

È stato allora che lui e l'ufficiale idraulico, una domenica che erano andati a pescare, hanno stabilito una volta per tutte che la vera vita naturale sarebbe questa: di vivere al buio e anche sordi, perché tutto è falso e tutto è imbroglio. La filosofia del figlio dell'agricoltore infatti non andava d'accordo con i traffici immobiliari della sua cooperativa; così s'è ben presto dimesso da presidente e poi è stato anche licenziato.

Vendeva allora tutto il podere, tranne il vecchio magazzino della frutta e l'annesso pollaio con suo padre dentro. Con quei soldi sua moglie (la fidanzata rimasta incinta, con cui s'era sposato) apriva un negozio di vestiti per giovani in una città vicina.

Nel magazzino che gli era rimasto, ha impiantato un forno per produrre articoli di ceramica. Un professore dell'accademia di belle arti gli aveva fornito i disegni del vasellame usato un tempo dai duchi del luogo: nei piatti e nelle scodelle si vedevano strani animali, in stile quasi orientale o persiano.

Il figlio dell'agricoltore, consigliatosi con l'ufficiale idraulico, ha deciso di riprodurre in maniera esattissima quel vasellame antico e di esportarlo in tutto il mondo.

Dopo aver prodotto una gran quantità di tazze e piatti, imitando non solo la forma sempre imperfetta, ma anche i disegni meravigliosi, i colori e la disposizione dei colori a macchie che si sovrappongono e sconfinano dalle linee incise del disegno, si accorgeva che quel vasellame non interessava a nessuno; poteva vendere al massimo qualche piatto o tazza a degli intenditori, ma quanti se ne trovano in giro di intenditori?

Suo figlio è cresciuto; lui vive con i soldi guadagnati dalla moglie nel negozio di vestiti per giovani; ha cominciato a tingersi i capelli ormai bianchi.

Parla spesso dei disegni persiani sul suo vasellame. Quei disegni gli fanno venire in mente un'infinità di domande, ad esempio: in quali ore del giorno erano usate quelle scodelle ai tempi dei duchi? che cibi o che liquidi contenevano? chi era il vasaio che le faceva? cosa vedeva il vasaio guardandosi attorno mentre le faceva? quali storie erano raccontate anticamente nei disegni persiani a cui il vasaio si rifaceva?

In quelle scodelle c'è un filo che lo collega a chissà quanti vasai e persone nel tempo dei tempi. Gli sembra strano che gli occhi non vedano niente di tutto questo, vedano solo un oggetto.

MIO ZIO SCOPRE L'ESISTENZA DELLE LINGUE STRANIERE

Mio nonno paterno era un uomo molto magro e molto basso, esattamente della stessa altezza e nato nello stesso giorno del re d'Italia Vittorio Emanuele III. Essendo così basso non avrebbe dovuto fare il servizio militare; ma quell'anno è stato abbassato il limite minimo di altezza necessaria per entrare nell'esercito, perché altrimenti neanche il futuro re d'Italia avrebbe potuto entrare nell'esercito. Per questo motivo mio nonno ha dovuto fare il servizio di leva.

Era muratore e tutti i suoi figli hanno dovuto fare i muratori come lui, tranne mio padre perché andava in giro a suonare la chitarra e la fisarmonica nelle feste dei paesi. Mio nonno era il muratore di molte famiglie ricche, e anche della famiglia di quell'occupatore di città di cui ho detto.

In casa e sul lavoro era dispotico come un re. Quando i suoi figli hanno dovuto fare il servizio militare, ha voluto diventassero tutti carabinieri benché il periodo di leva fosse più lungo, in quanto così guadagnavano dei soldi e non perdevano del tempo.

Per lui come per i suoi figli muratori i giorni di festa non contavano, lavoravano di domenica come gli altri giorni. Neanche la religione per loro contava, tranne per necessità come battesimi, matrimoni, funerali. Non solo mio nonno non leggeva i giornali, ma non credeva neanche che le notizie riportate sui giornali avessero qualche fondamento, e le considerava come favole che fanno solo perdere tempo.

Uno dei figli muratori molto presto ha litigato con mio nonno dispotico, e se n'è andato per conto suo a lavorare all'estero. È rimasto in Francia per alcuni anni, e diceva che durante quegli anni non s'era mai accorto che là si parlava francese.

Mio nonno e i suoi figli parlavano il dialetto del loro paese, ma appena fuori di casa e subito oltre il Po i dialetti erano già diversi. Quando mio zio se n'è andato di casa e s'è fermato a lavorare vicino a Genova, ha trovato un dialetto molto diverso dal suo. E così trovava dialetti molto diversi ad ogni posto in cui si fermava, Mentone, Nizza, Digione. Riusciva però sempre a farsi capire, e allora per lui un dialetto era uguale a un altro.

A Digione viveva in un sobborgo dove c'erano molti italiani. S'è sposato e subito ha imparato le frasi necessarie per parlare in francese con sua moglie e con gli altri; e anche quello era per lui un altro dialetto.

Infatti (raccontava mio zio) dov'era la differenza se lui parlava con un francese o con un contadino della riviera? Capiva poco l'uno e poco l'altro, ma riusciva a intendersi con entrambi.

Poi è nato suo figlio. Due anni dopo è tornato a lavorare in Italia lasciando la moglie a Digione.

E solo quando è rientrato in Francia dopo altri due anni, ascoltando suo figlio e scoprendo che parlava in modo tanto diverso dal suo, cioè una lingua straniera, gli è venuto in mente un mare pieno di nebbia che non si può traversare: al di là c'è uno che ti parla e tu lo senti, ma non ci arriverai mai a farti capire, perché la tua bocca non riesce a dire le cose come stanno, e sarà sempre tutto un fraintendersi, uno sbaglio a ogni parola, nella nebbia, come vivere in alto mare, mentre gli altri però si capiscono bene e sono contenti.

Così mio zio ha scoperto l'esistenza delle lingue straniere, per primo nella nostra famiglia.

Sentire suo figlio che parlava in francese, così piccolo e già lontano mondi e mondi dal dialetto di mio nonno dispotico, è stata la più grande sorpresa della sua vita, come se si svegliasse da un sogno, e s'è messo a piangere.

IL RITORNO DEL VIAGGIATORE

In treno nell'alba verso Polesella, ho cominciato il viaggio alla ricerca del paese dove è nata mia madre senza saper bene dove andavo. Sapevo solo approssimativamente in che zona fosse quel paese e non l'avevo trovato su nessuna mappa stradale; contavo di comprare per strada una cartina a scala più grande per localizzarlo.

Prima di salire sul treno, a Ferrara, avevo visto un tizio in piedi mezzo addormentato che sollevava faticosamente le palpebre ogni volta che qualcuno entrava nella stazione, poi le palpebre gli cadevano e la testa gli crollava con un lieve sussulto. Dopo, a Polesella, scendendo dal treno, mi sono trovato in mezzo a gente con la stessa aria traballante; gente che s'era alzata come me nell'alba con l'impressione d'essere in un luogo sconosciuto, era uscita di casa semicosciente di gesti ripetuti e abitudini attaccate al corpo, e si ritrovava là fuori pronta ad andar dovunque. Nel bar della stazione degli uomini stavano a scatarrare accendendosi le prime sigarette.

Quando ho chiesto dov'era il centro di Polesella, dei ragazzi seduti sulle sedie all'esterno d'un bar mi hanno risposto sghignazzando che il centro era lì. Quei ragazzi avevano capelli lunghi e giubbotti jeans, fumavano ridendo e schiamazzando e mangiando popcorn alle otto del mattino.

Il centro della città era costituito da due viali divisi da un'aiola senza vegetazione. Sui lati della strada case non molto alte con facciate disadorne e uniformi dello stile dopoguerra. E in quel posto anche adesso sembrava d'essere in un dopoguerra, dopo un disastro di cui nessuno aveva sentito parlare. La strada per tutta la sua lunghezza era dedicata ai servizi di sopravvivenza essenziali, elettrodomestici, tabaccheria, agenzia d'affari, farmacia, negozio di capi per donna, e in fondo al viale una scatola grigia senza tetto era un cinema che si chiamava soltanto CINEMA; proiettavano un film porno.

Dopo ero in un altro punto della città, alla ricerca di cartine stradali. C'era una giostra vuota, le macchine d'un autoscontro ricoperte di plastica, e tutto quanto intorno così asfaltato come se gli uomini dovessero dimenticare per sempre com'è fatta la superficie della terra.

Da Polesella ho preso una corriera, e andando verso Guarda Veneta avevo paura di parlare e sentire la mia voce, come quando ero in un altro continente; evitavo di guardare gli altri passeggeri perché non mi rivolgessero la parola.

Dopo Crespino e Villanova, altri cartelli stradali dicevano CORBOLA, PAPOZZE. Prati quasi senza erbe e là pascolavano pecore grigie fino al limite d'un canale; al di qua del canale vecchie case con la sporgenza esterna del camino che si rastrema all'altezza del primo piano, e la cima del camino è un'ardita torretta che punta verso il cielo.

Camion e camion che passavano; pioveva, col cielo buio le cose si distinguevano appena. La corriera s'era fermata davanti a un lungo cascinale scrostato e tutto ricoperto d'edera anche sopra le imposte chiuse; e sulla porta è apparsa una donna con un catino in mano in cui si risciacquava i capelli. Appena la donna s'è accorta che la guardavo ha irrigidito il collo, tenendolo inclinato verso il catino. Avrei voluto scendere a parlarle, per capire che genere di parole si potessero dire in un posto come quello. Poco dopo un cartello su una curva annunciava Adria.

Nel primo pomeriggio ad Adria sono entrato in un bar tutto tappezzato di comunicazioni di vincite al Totocalcio, dove una televisione accesa dominava dall'alto il piccolo ambiente e faceva da sfondo alla discussione in dialetto degli uomini davanti al banco. Gli uomini parlavano d'un incidente toccato a qualcuno, e discutevano se convenga andare in giro armati; qualcuno suggeriva che è pericoloso perché "quelli non guardano in faccia a nessuno". Non sono riuscito a capire di cosa parlassero. Davanti al bar una fila di ragazzi seduti al riparo dalla pioggia osservavano l'asfalto, e per la strada non passavano macchine; mentre uscivo, per un lungo momento si è sentito soltanto il rumore della televisione che trasmetteva un film western.

Ho trovato un albergo, un edificio a due piani con muri disadorni dipinti d'un rosso cupo e la scritta ALBERGO LAGUNA. In una cartoleria cercavo delle cartine stradali e una giovane donna con l'aria stanchissima mi parlava molto lentamente, come se riflettesse su ogni frase che doveva pronunciare. Ha detto: "Qui non c'è molto," poi: "Adria è fuori mano," poi: "Come avrà visto e constatato."

In quella città c'erano due o tre strade centrali piene di negozi moderni, bar, motorini, e strade nascoste dove ho trovato belle ville antiche; voltandomi ho visto un gigantesco ripetitore della televisione, che mi è parso più alto di qualsiasi edificio della città. In un altro negozio nessuno sapeva niente dei posti in cui dovevo andare; sembrava fossero per sempre scomparsi dalla testa della gente e dalle cartine stradali.

Ritornato in albergo mi sono messo a leggere un romanzo di Malcolm Lowry. Dopo cena ho guardato la televisione, un film con Stewart Granger e Deborah Kerr.

Uscendo da Adria lo spazio si slarga a perdita d'occhio in tutte le direzioni. Una superstrada percorre una curva in salita e immette in un'altra superstrada a quattro corsie, quel mattino piena di camion e macchine che scappavano sotto la pioggia. Dall'alto di questa strada vedevo le piane con prati grigi tagliati da canali, e molte di quelle belle case col camino a torretta abbandonate e scrostate, col tetto a pezzi, porte e finestre murate.

Da quando avevo lasciato Adria non facevo che costeggiare canali con l'acqua ferma in cui cadeva la pioggia. Intorno case coloniche, campi di grano, gente che andava per viottoli in bicicletta, e piccoli ponti di ferro sui canali dove qualcuno sotto l'ombrello stava pescando.

Prima di attraversare il Po alle mie spalle il profilo del suolo era concavo fino all'orizzonte. Su un pannello segnaletico, con uno schizzo delle strade tra le due rive del fiume, ho letto nomi di luoghi, TAGLIO DI PO, PORTO TOLLE.

L'aspetto dei passeggeri nella corriera, come la nenia delle loro voci, era di chi ha rinunciato da un pezzo a fare delle sciocchezze, a darsi delle arie, a dire qualcosa più del necessario. Siccome la strada era piena di buche, la corriera cigolava in continuazione.

Ad un tratto, senza saper perché, sono saltato giù dalla corriera e per fortuna non pioveva più. Sulla lunga strada dritta verso Taglio di Po, il paesaggio era seminato di pali della luce che portavano l'occhio all'infinito.

L'orizzonte basso e lontano, velato da un alone che sembrava pioggia, era attraversato da cipressi e salici bianchi. Nei fossi dovunque romici rosse. Sparse tra i campi case abbandonate col tetto sfondato, e invece lungo la strada case moderne. I campi di grano intorno erano gialli e cupi, il granoturco ancora verde.

Quando è cominciato a piovere in tutta la campagna non c'era anima viva. L'automobilista pescato fermo in una piazzola ha esitato molto prima di caricarmi, mi guardava con lunghi sguardi d'inchiesta. Sul cruscotto della macchina c'era la foto d'una bambina e un cagnetto di pezza appeso al retrovisore sobbalzava di continuo.

Con l'automobilista non ho scambiato neanche una parola; scendendo di macchina il muro d'una fortezza in prospettiva si rivelava una lunga fila di case del dopoguerra, con negozi di abbigliamento, di articoli sportivi, di elettrodomestici, molti bar. Dall'altra parte questo paese si apriva verso terreni devastati, macerie, fino ad un punto lontano dove vedevo solo sassi e mota. Sembrava d'essere in un avamposto, dei cani rovistavano in un mucchio di spazzatura.

Appena ho tentato di attraversare la strada tutti gli automobilisti suonavano i loro claxon con grande foga. Ho avuto la certezza che quegli automobilisti non andassero da nessuna parte, soltanto circolassero all'infinito con i più miserabili pretesti, nel terrore d'essere immobili. Li ho osservati a un semaforo impazienti sotto la pioggia, claxonavano spasimando per non essere immobili.

Quel paese si chiama Taglio di Po, perché gli uomini un tempo hanno dovuto tagliare il fiume per regolarne la foce. Ma salito sull'argine per guardarmi attorno, non riuscivo a immaginare che fosse esistito qualcosa di diverso dallo spazio della mia epoca, l'unico che mi è dato conoscere; e sull'argine tutto ciò che ho trovato è un cartello che diceva: DIVIETO DI SOSTA AI NOMADI. Più avanti un prato pieno di immondizie sparse, con lattine vuote, brandelli d'una vecchia valigia, un pezzo di termosifone, e sotto l'argine case basse di ex pescatori, una campagna cosparsa di grigi capannoni industriali e nessuno in giro.

Il ponte sul Po, sotto il quale m'ero rifugiato, era una lunga gettata di cemento su otto o dieci piloni; sotto ci correvano i tubi blu d'un immenso metanodotto. Adesso pioveva con violenza, e degli uccelli planavano quasi rasoterra sull'argine del fiume.

A metà pomeriggio attraversavo il ponte in direzione di Piano, per strade dritte e molto larghe con qualche ondulazione. Un cielo buio che sembrava sconfinato con quegli orizzonti bassi, camion che passavano sollevando ali di spruzzi ai lati della strada. Poi sotto la tettoia d'una stazione di servizio avevo chiesto indicazioni sulla via da prendere, e un benzinaio faceva gesti spazientiti, come se non ce la facesse più a vedere la faccia di altri uomini.

Ho abbandonato le strade piene di traffico spostandomi verso la riva del Po Grande, per viottoli che passavano accanto a case con orti recintati da canne. In una casa c'era un uomo che guardava la televisione col cappello in testa; l'uomo a un certo punto ha chiamato un nome di donna, poi voltandosi a guardare verso la finestra senza vedermi. Due maggiolini e una fila di formiche si disperdevano nella ghiaia, tra frammenti di mattoni e di gesso.

Verso le sei del pomeriggio, col cielo sempre più cupo, mi avviavo per un largo stradone che non sapevo dove portasse. Un cartello mi ha informato che di lì passava il 45° parallelo, ero a metà strada tra il polo nord e l'equatore.

Camminando col cappuccio rialzato, non riuscivo a vedere niente ai lati. Non sono riuscito a fermare nessuna macchina, fuggivano tutte nella foschia che era sorta.

L'indomani mattina a Goro, dove mi aveva portato un automobilista nella notte, ho avuto informazioni abbastanza precise sul posto in cui dovevo andare. Mi è stato detto che avevo sbagliato completamente strada; il treno d'una vecchia linea locale porta da Bologna a Portomaggiore in tre ore soltanto, e da Ferrara si arriva lì con un'ora di macchina.

Era domenica, s'era schiarito il tempo e gli automobilisti caricavano più facilmente. Ho trovato un passaggio fino a Ostellato, poi un altro in direzione di Portomaggiore.

A un bivio, mentre scendevo di macchina, un automobilista mi ha detto: "Adesso la bestia va a mangiare." Credevo parlasse di me, invece parlava di se stesso.

A Dogato ho chiesto a un uomo che passeggiava col cane se conosceva il paese che stavo cercando. L'uomo era contento di parlare, ma non sapeva dirmi niente su quei posti. Così ha camminato un po' con me, parlando del più e del meno; poi in un bar, dove vendevano anche giornali e un lungo ripiano era pieno di riviste pornografiche, mi ha offerto una pasta. Abbiamo parlato del tempo e del fatto che fino a qualche secolo fa lì c'era il mare, e Portomaggiore era un grande porto.

Adesso erano campagne molto ricche, con frutteti dovunque. L'orizzonte sempre piatto non era più spoglio e minaccioso come il giorno prima; i frutteti in fiore di lontano sembravano veri e propri boschetti, e tracciavano un profilo rosa sulla linea della terra.

Venendo da Ostellato la strada con lunghe curve è tutta costeggiata da platani. Intorno ho visto anche acacie e molti canali dove dei pescatori mi ricordavano le abitudini della mia razza. Su un campo uno stuolo di gabbiani volava intorno a qualcosa, sentivo i loro richiami.

Ho camminato su quella strada fino a un altro bivio. A destra c'era una strada stretta e in basso, appoggiato per terra, un piccolissimo cartello diceva SANDOLO. In quel paese è nata mia madre.

Mi sono seduto su un pilastrino chilometrico a cercar di immaginarmelo. Sul fondo vedevo il campanile d'una chiesa, molto basso, con la punta di metallo che brillava nel sole. Un tempo là dovevano esserci pochi campi coltivati, molte paludi, niente attorno e tutto piatto e deserto. Quando mia madre ha lasciato quel paese doveva avere sette o otto anni.

Ho cercato di immaginare qualcosa, ma avevo solo immagini generiche, di fienili, corriere d'altri tempi, strade con l'acciottolato. Ho avuto la visione d'una chiesetta con la facciata in cotto.

Al di là del bivio non vedevo niente, solo campagne vuote e quel campanile molto basso; non riuscivo a immaginare niente d'altri tempi e d'altre situazioni. Da una casa sulla strada è uscita una ragazza che allungava il collo, per vedere cosa stavo facendo seduto sul pilastrino. Allora sono tornato indietro verso Ostellato.

ALLO SCOPERTO

Poco prima dell'ultima guerra mondiale, nelle campagne intorno a Portomaggiore, provincia di Ferrara, è arrivato un uomo che andava in giro per le campagne a vendere stoffa, aghi, spagnolette. Vendeva anche modelli di vestiti che si potevano vedere già fatti in un libro di figure, e di cui si acquistavano separatamente le forme di carta da applicare alla stoffa, in modo che il taglio risultasse esatto secondo lo stile del modello e la figura del libro. Quest'uomo viaggiava su una automobile Balilla, portava un cappello Borsalino calcato sugli occhi, sorrideva sempre ed aveva una gran parlantina. Dormiva in macchina o nei fienili, mangiava presso i clienti scontando il prezzo del pranzo sugli acquisti, e accettava farina, fagioli, granoturco come pagamento.

A quei tempi non esistevano bar in quelle campagne, così alla sera per passare il tempo l'uomo riuniva attorno a sé una famiglia di affittuari e raccontava delle storie.

Una sera, prima di andarsene a dormire nel fienile, l'uomo ha accarezzato una bambina che lo guardava con occhi spalancati, evidentemente molto colpita dalle storie che lui aveva raccontato. Nella notte due uomini sono entrati nel fienile e hanno picchiato a sangue il venditore ambulante, il quale riusciva a stento a saltare in macchina e fuggire per le campagne. E di lui non s'è più saputo niente.

Circa vent'anni dopo, un giorno è arrivato da quelle parti un uomo con un occhio solo. Ha fatto molte domande in giro, e infine davanti a un cascinale ha detto di aver perso l'occhio proprio nel punto in cui era adesso, vent'anni prima. Due uomini l'avevano aggredito di notte accusandolo d'essere un pervertito, e l'avevano colpito sull'occhio mentre lui fuggiva dal fienile.

La donna sulla porta del cascinale, che lo aveva osservato a lungo e aveva ascoltato il suo racconto, ha detto che ricordava tutto. Era lei la bambina che l'uomo aveva accarezzato quella sera, ricordava le sue storie e le serate intorno al tavolo della cucina. S'era sposata con un affittuario molto più vecchio di lei, che per qualche anno l'aveva picchiata e maltrattata, poi era morto soffocato da un'emottisi. Probabilmente era lo stesso affittuario che aveva picchiato il venditore ambulante con un badile, facendogli perdere l'occhio.

Durante la conversazione la donna non aveva nascosto l'odio che ancora nutriva verso il marito defunto, per la sua brutalità, né la simpatia verso l'ex venditore ambulante tanto sfortunato. L'aveva invitato in cucina a bere qualcosa e parlava volentieri con lui.

Ha detto che da quelle parti gli uomini non farebbero mai il gesto di accarezzare una bambina estranea; devono sempre farsi vedere duri e guardare tutti in modo torvo, per non essere colti in fallo dagli altri uomini.

Prima di andarsene, mentre era sulla porta, l'uomo con un occhio solo ha confessato alla donna d'essere appena uscito di prigione, dove era rimasto diciotto anni. Aveva strangolato una bambina.

Ha aggiunto subito che, negli anni di carcere, tutte le sue idee e i suoi sentimenti, i suoi desideri e stati d'animo erano completamente cambiati. Adesso era contento di aver pagato il suo debito alla giustizia, perché questo l'aveva abituato a considerarsi allo scoperto, sempre e dovunque.

Sulla soglia la donna non s'era mossa, ma non guardava più l'uomo in faccia come prima, adesso guardava per terra. Allora l'uomo con un occhio solo si è avviato verso la macchina sull'aia del cascinale, e giunto vicino alla macchina si è voltato a parlarle. Le ha detto come tutte le cose appaiano diverse sentendosi allo scoperto, quando non c'è più il pensiero di potersi nascondere e così salvare da qualche parte.

In quel tratto della costa libica c'era allora un deserto di sabbia. Dal mare verso l'interno, dei ciglioni di roccia salivano a gradini, e sotto il primo ciglione era stata scavata una grotta profonda. La mattina del 21 gennaio 1941, un gruppo di ufficiali e soldati s'è svegliato sentendo dei cannoni che sparavano e una voce fuori dalla grotta che diceva: "Come on!"

Subito i due ufficiali superiori nella grotta hanno messo un colpo in canna alle loro pistole, per mostrare che avevano intenzione di suicidarsi.

Poi però uno dei due ha chiesto ad un tenente strabico: "Cosa facciamo?" Il tenente strabico ha suggerito: "Arrendiamoci." "Bene," ha risposto l'alto ufficiale, "se ne occupi lei."

Il tenente strabico ha spinto fuori dalla grotta tre fucili, col calcio in avanti, e una mano nera che gli è parsa enorme li ha afferrati, mentre una voce ripeteva: "Come on!"

Il gruppo di ufficiali e soldati è uscito dalla grotta con le mani in alto. Il tenente strabico è uscito con gli altri ed è stato messo in fila nel branco; mentre era in attesa di avviarsi col branco attraverso il deserto, ha cominciato a scrivere il suo primo romanzo. Ha annotato le prime parole sul retro d'una cartolina: "Sono prigioniero di guerra da dieci minuti. È bastato un passo e tutto è cambiato."

Circa un anno e mezzo dopo era nel campo di prigionia di Yol, ai confini del Punjab e proprio sotto la catena dell'Himalaya. Quel campo di baracche ospitava diecimila ufficiali, molti dei quali avevano con sé i loro attendenti, che continuavano a servirli, a lucidare le loro calzature, a lavare e stirare i loro panni. La vita degli ufficiali prigionieri nel campo di Yol era quella d'una enorme concentrazione di turisti, costretti a porsi il problema di come passare il tempo.

Facevano esercizi di ginnastica, imparavano l'inglese e giocavano a tennis; al pomeriggio potevano far passeggiate fuori dal campo, verso un boschetto sacro chiamato Bosco delle Scimmie; alcuni mettevano in scena spettacoli teatrali, altri organizzavano mostre di pittura; una biblioteca fornita di libri italiani e inglesi permetteva loro di leggere molto. Frequenti amori tra uomini erano a volte dissimulati, a volte apertamente derisi da altri; bambini indiani fuori dal campo si offrivano per pochi spiccioli agli ufficiali italiani.

Il tenente strabico ha chiesto alle autorità del campo d'esser mandato a combattere in Europa, contro i nazisti. La sua domanda non è stata accolta, e allora lui ha imparato ad essere mite, tranquillo e asociale, e a considerarsi sempre un turista prigioniero. Ha finito di scrivere il suo primo romanzo, poi ha scritto alcuni testi teatrali che venivano recitati sul palcoscenico del campo.

Per quarant'anni ha continuato a scrivere ogni giorno, e continua tutt'ora. Adesso scrive ogni mattina in un caffè-pasticceria di Ravenna, dove si trova a proprio agio soprattutto perché, credo, in dieci anni non ha mai scambiato una parola con nessuno. Da quarant'anni tutti i suoi romanzi sono regolarmente respinti da qualsiasi casa editrice, da qualsiasi uomo di cultura a cui s'è rivolto; niente di ciò che ha scritto, giorno dopo giorno per quarant'anni, è mai stato pubblicato.

Le storie che racconta sono tranquille, sentimentali ed

educate, in una lingua che nessuno sa più scrivere, e con un tono che nessuno potrà più avere (legge Montaigne tutti i giorni).

Adesso ha 73 anni, è alto, molto bello, strabico. È talmente disabituato a parlare che, quando mi telefona e si decide a pronunciare una frase, gli esce dalla gola il suono d'una bestia che si sveglia. Sua moglie invece scherza in dialetto ogni momento, e quando lei scherza lui ride dentro di sé senza nessun rumore. Non hanno mai avuto figli, vivono in un piccolo appartamento all'ottavo piano d'un edificio condominiale.

Un amico tedesco mi ha raccontato la storia d'un operaio della Ruhr, che aveva progettato e cercava di costruire la macchina del moto perpetuo di seconda specie.

Il moto perpetuo di prima specie sarebbe ottenuto da una macchina che, senza consumare energia, fosse capace di produrre un movimento illimitato e dunque una fonte illimitata di energia meccanica; il moto perpetuo di seconda specie sarebbe ottenuto invece da una macchina capace di trasformare calore in energia meccanica, e di riconvertire poi l'energia meccanica in calore, e di nuovo il calore in energia meccanica e così via, senza dispersioni e quindi senza aver più bisogno di niente per andare avanti.

Nel 1949 l'operaio Rüdiger Fiess scriveva una lettera al cancelliere di stato Adenauer, spiegandogli la cosa e inviandogli il suo progetto. Adenauer gli rispondeva con una lettera di suo pugno, nella quale gli riconosceva la scoperta del moto perpetuo, e gli prometteva di interessarsi per ottenere un finanziamento e così permettergli di costruire la macchina progettata.

Nel decennio seguente Fiess ha atteso invano che arrivasse il finanziamento; ha spedito molte lettere per sollecitarlo senza ottenere risposta. Nel 1954 la casa dove abitava è bruciata, e tutti i suoi calcoli e il suo progetto andavano perduti, assieme alla lettera del cancelliere Adenauer.

Non so cosa abbia fatto Fiess nel frattempo, se abbia continuato a studiare il problema del moto perpetuo; fatto sta che verso la metà degli anni sessanta un incidente molto grave lo costringeva ad abbandonare il suo lavoro di manovratore di gru, e insieme gli consentiva di dedicare tutto il suo tempo al progetto che aveva in mente da anni.

Mentre sostava davanti alla facciata d'una fabbrica in demolizione, nel cantiere dove lavorava, il maglio d'una gru gli passava accanto frantumandogli l'anca e il femore; Fiess sarebbe rimasto storpio per tutta la vita.

Una assicurazione gli versava un cospicuo risarcimento ed egli, siccome era sposato con una donna italiana, decideva di trasferirsi in Italia, nel luogo d'origine della moglie, ossia vicino a Porto Garibaldi, in provincia di Ravenna. Qui ha affittato un vecchio hangar in disuso, non lontano dalla sua abitazione, e in quell'hangar ha cominciato a costruirsi da solo la macchina dei suoi sogni.

Quando nel 1978 il mio amico Reinhard Dellit è venuto a Porto Garibaldi per girare un documentario sulla macchina di Fiess, di cui aveva sentito parlare, Fiess non ha voluto ammetterlo nell'hangar per molti giorni. Voleva prima accertarsi sulle intenzioni di Reinhard e sulla destinazione del documentario; poi assicurarsi che Reinhard fosse in grado di afferrare bene l'essenza del suo progetto.

Ciò che il mio amico ha visto e filmato nell'hangar è piuttosto difficile da descrivere.

Al centro dell'hangar c'erano quattro grandi ruote di ferro disposte a quadrato, che giravano su perni innestati in un asse centrale, dove un sistema di camme e cuscinetti a sfera faceva sì che il loro moto fosse collegato e sincronico. Quello, secondo Fiess, era il cuore della macchina.

Dal cuore della macchina si diramavano in alto bracci a snodo collegati a ruote minori, di varie dimensioni, fino a costruire un'architettura di ruote e serpentine e bracci di ferro snodati che si estendevano irregolarmente nello spazio.

In certi punti degli snodi aerei c'erano saliscendi con tiranti rigidi e contrappesi in fondo, a forma di maglio. Quando la macchina era in moto quei magli piombavano sulle predelle innestate in certi punti delle ruote minori o delle quattro ruote maggiori: il maglio dava un gran pugno alla predella mettendo in moto la ruota e le ruote collegate, e ritornando poi in alto per effetto del saliscendi, pronto a dare un altro pugno a un'altra predella a tempo debito.

Gli snodi erano infatti sincronizzati con le ruote minori e maggiori, in base a calcoli sul peso del maglio e la lunghezza del braccio e del saliscendi, così da compiere un semicerchio ed esaurire la spinta inerziale a tempo debito nel punto più alto, da dove poi ricadevano i magli, dando altri pugni o pedate alle predelle delle ruote, secondo il tipo di moto necessario in quel punto, dall'alto in basso o dal basso in alto.

Da quanto ho capito dal mio amico tedesco, Fiess continuava da un pezzo ad aggiungere ruote e snodi in diverse direzioni, e a rifare tutti i calcoli per sincronizzare il loro moto col moto delle ruote e snodi precedenti.

In fondo all'hangar, sul retro della macchina, recentemente aveva collegato alcuni saliscendi a una serie di grossi palloni di gomma col manico, di quelli che i bambini usano per fare dei salti a rana standoci seduti sopra; e questo era l'ultimo tentativo per ottenere un movimento continuo e coordinato di tutto il congegno, sfruttando il rimbalzo di corpi particolarmente elastici.

La questione che Fiess spiegava a Reinhard, cioè la sua idea fondamentale, consisteva in questo: ottenere un moto perpetuo di seconda specie senza dover trasformare calore in energia meccanica, ma usando solo la forza di gravità e la forza d'inerzia.

Tuttavia Fiess spiegava anche che, nel progetto inviato al cancelliere Adenauer nel 1949, tutti i calcoli erano esatti perché li aveva fatti controllare da un ingegnere di sua conoscenza, e la macchina prevista era molto più semplice (sembra che avesse fatto un modellino in legno). Quel progetto però era andato perduto nell'incendio della sua casa, e adesso lui non ricordava più di preciso come avesse risolto certi problemi.

Al momento attuale, cioè nel 1978, se messa in moto spingendo una ruota qualsiasi, la macchina riusciva a muoversi per circa cinquanta secondi. Secondo Reinhard l'uomo non sperava più di ottenere un moto perpetuo vero e proprio, ma era affascinato da quel vasto movimento sincronico di ruote, snodi, saliscendi, tiranti, magli e palloni di gomma.

Passava tutta la giornata nell'hangar a guardare le ruote muoversi.

Secondo Fiess il mondo andava male perché Dio l'ha abbandonato al suo destino, nelle mani di terroristi rossi e asiatici. Ad esempio in Germania ci sono in giro troppi turchi, con facce spaventose secondo lui, che alla domenica vanno a ballare come se niente fosse.

narrator isn't bestowing authority,
he wants reader to react against that.

Nel 1924 gli iscritti al giro ciclistico d'Italia venivano decimati da un faticosissimo percorso, e solo trenta dei novanta corridori partiti riuscivano a portare a termine la gara, dopo aver pedalato su strade polverose per oltre tremilacinquecento chilometri. Al traguardo conclusivo la folla applaudiva il vincitore, ma riservava un applauso ancora più caloroso per l'ultimo corridore in classifica, arrivato a Milano nonostante una serie di pericolose cadute, nonostante in una tappa di montagna fosse stato escluso dalla gara per esser giunto fuori tempo massimo, nonostante non avesse nessuna assistenza oltre ai due pasti quotidiani pagati dalla fabbrica di pneumatici di cui portava il nome sulla maglia, e infine nonostante questo corridore fosse una donna.

I giornali la chiamavano "la corridora"; era una ragazza piccola e grossa, nata in una famiglia contadina e diventata l'unica donna nella storia del ciclismo che sia riuscita a competere in gare ufficiali con i cosiddetti campioni del pedale, normalmente maschi.

Una foto dell'epoca la mostra china sul manubrio d'una bici da corsa, con mutandoni fino al ginocchio, mentre passa su una strada di campagna applaudita da una fila di tifosi, i quali sono tutti scalzi. Ha un volto rotondo con grosse ossa occipitali, occhi piccoli e fronte molto larga, capelli corti tirati all'indietro; ha grossi polpacci, braccia robuste, spalle quadrate; ha un sorriso a mezzaluna tagliato ai lati dal rilievo delle guance.

Questa foto è appesa nella bottega d'un ciabattino di Ariano Polesine, che per anni ha sofferto le pene dell'inferno, essendo impazzito d'amore per la corridora.

Emigrato a Milano col padre quando aveva dodici anni, aveva seguito corsi di taglio studiando alla sera, e aveva vinto il primo premio in un concorso nazionale per tagliatori modellisti di calzature femminili. S'interessava poco allo sport, ma leggendo i giornali aveva cominciato ad appassionarsi alle imprese della corridora; e al termine di quel faticosissimo giro d'Italia, una sera, riusciva a farsi invitare ad un banchetto in suo onore e finalmente a conoscerla.

La corridora era sposata con un cesellatore che, quando lei aveva quindici anni, l'aveva tolta dalla sua famiglia dove i genitori non ammettevano che una donna si dedicasse a quello sport maschile, e l'aveva resa libera di avviarsi alla carriera di corridore ciclista.

Il tagliatore, la sera del banchetto, dopo averla guardata per un'ora se n'era innamorato e subito era andato a dichiararsi. La corridora non poteva accettare questa dichiarazione, essendo felicemente sposata col cesellatore, e perciò l'ha respinto in malo modo.

L'indomani il tagliatore le inviava in omaggio un modello di calzature femminili da lui ideato e tagliato, ma la corridora glielo spediva indietro con questo messaggio: "A me interessano soltanto le biciclette."

Data la fama internazionale ottenuta in quel giro d'Italia, la corridora veniva chiamata ad esibirsi a Parigi. Qui andava ad esibirsi per qualche tempo sulle piste, sempre in competizione con corridori maschi, e qui tornava dopo la morte del marito.

Il tagliatore, che nello stesso periodo aveva conseguito un riconoscimento in una esposizione internazionale di calzature femminili tenutasi a Parigi, si precipitava nella capitale francese per chiedere alla corridora di sposarlo. Dopo molti infruttuosi tentativi di entrare in contatto con lei, le scriveva una lettera e le inviava in omaggio gli scarponcini di sua ideazione, con cui aveva ottenuto l'ambito riconoscimento nell'esposizione parigina.

Alla sera si chiudeva in albergo in attesa della risposta. La risposta arrivava subito, con la restituzione d'un solo scarponcino (l'altro non si sa che fine abbia fatto) e il solito messaggio: "A me interessano soltanto le biciclette."

Quella sera il tagliatore, solo nella camera d'albergo e preso dalla disperazione, ha bollito lo scarponcino di vernice che gli era stato restituito e lo mangiava pezzo a pezzo.

La corridora si è risposata quasi subito con un corridore che era il primatista mondiale sui cinquecento metri lanciati, e assieme a lui si esibiva sulle piste francesi per qualche tempo ancora. Tornava in Italia e apriva una bottega di gommista a Milano, assieme al marito.

Quando anche il secondo marito moriva, continuava da sola quell'attività, in modo da restare in contatto con il mondo del ciclismo, riparando copertoni e seguendo le gare dei suoi protetti.

Un giorno si ripresentava il tagliatore, che ormai non era più tagliatore perché nel frattempo aveva abbandonato quel mestiere e aveva girato a piedi tutta l'Europa, fino in Belgio e in Olanda, riparando scarpe nelle campagne e infine venendo arrestato per vagabondaggio.

Ancora una volta l'ex tagliatore, ora semplice calzolaio, chiedeva alla ex corridora di sposarlo. Ancora una volta costei lo respingeva, trattandolo molto male perché le scarpe a lui interessavano più delle biciclette; lei non poteva accettare un marito del genere.

Anche se ormai da anni s'era ritirata dalle corse, l'ex corridora godeva ancora d'una certa popolarità nel mondo del ciclismo, dal quale non intendeva allontanarsi fino al giorno della sua morte. Su una grossa motocicletta seguiva tutte le gare a cui partecipavano i suoi protetti, e così ha continuato a fare, guidando la grossa motocicletta fino al giorno della sua morte, all'età di 68 anni.

L'ex tagliatore, ora ciabattino in una piccola città del Polesine, è andato al suo funerale.

UNA SERA PRIMA DELLA FINE DEL MONDO

Ho sentito raccontare la storia d'una donna che lavorava come segretaria in una ditta di trasporti, vicino a Taglio di Po. Era una bella donna con un grosso seno, calze sempre nere, vestiti attillati. Dopo la morte del marito, e dopo che suo figlio s'era trasferito in Venezuela per lavorare in un ristorante nei pressi d'una miniera di magnesite, la donna era vissuta sempre da sola.

Ha fatto amicizia con una insegnante di mezz'età, che lavorava a Contarina e che viveva anche lei da sola. Le due donne hanno cominciato a frequentarsi ogni giorno, a cenare assieme ogni sera, e spesso anche a dormire assieme. Erano ormai tanto affezionate l'una all'altra che pensavano, nel giro di qualche anno, di mettersi entrambe in pensione e andare a vivere assieme.

Poi l'insegnante è rimasta sconvolta dalla notizia d'una catastrofe imminente, avendo letto qualcosa sull'accumulo nell'atmosfera di anidride carbonica proveniente dalle esalazioni urbane di tutto il mondo.

Ha spiegato all'amica che un forte accumulo di anidride carbonica nell'atmosfera, come quello che sta avvenendo, potrà produrre un insopportabile aumento della temperatura sul pianeta, con scioglimento dei ghiacci polari e sommersione di parte dei continenti. E le ha spiegato che le uniche zone al sicuro dalla catastrofe, almeno per qualche tempo, sarebbero state quelle più alte vicino al polo, ad esempio sulle montagne della Norvegia: perché là ci sarebbe stato meno caldo e minor pericolo di sommersioni a causa dell'altezza.

Le due donne debbono aver discusso molto di queste cose, ed essersi persuase che la catastrofe fosse imminente, questione di mesi.

Un bel giorno hanno dunque deciso di andare a trascorrere le ferie estive sulle montagne della Norvegia, pensando che, se magari quell'estate fosse successo qualcosa, loro sarebbero già state al riparo.

In agosto sono partite e sono rimaste in Norvegia fino alla metà di settembre. Poi vedendo che non succedeva niente, sono tornate a casa e hanno ripreso il loro lavoro.

L'estate successiva sono tornate in vacanza sulle stesse montagne, sempre più o meno in attesa della catastrofe. Durante la vacanza una delle due donne, l'insegnante, ha conosciuto uno svizzero molto ricco che s'era trasferito lassù; i due hanno deciso di sposarsi, e l'insegnante tornava in Italia per sistemare le sue cose, poi ripartiva immediatamente per andare a sposarsi con lo svizzero.

All'inizio di ottobre dunque la donna di Taglio di Po si è ritrovata di nuovo sola. Contava di mettersi in pensione al più presto, e di trasferirsi anche lei per sempre in Norvegia, per poter vivere assieme all'unica amica che aveva.

Avrebbe dovuto aspettare tre anni, prima di raggiungere l'anzianità necessaria per mettersi in pensione. A Taglio di Po si sentiva però troppo sola, e ha pensato di cambiar vita.

Ha trovato un lavoro in un ufficio spedizioni di Sottomarina, vicino a Chioggia, ed è andata ad abitare in un piccolo appartamento nei dintorni di Chioggia. È diventata vegetariana e s'è comprata una macchina per fare spremute di pomodori, carote, mele, agrumi. Consumava molti legumi, lenticchie, fave, ceci, riso integrale e germe di soia; mentre era al lavoro mangiava biscotti di mais.

S'è iscritta a un corso serale di yoga, tenuto da un paio di ex studenti in una vecchia casa veneziana di Chioggia. Ha anche cominciato a frequentare un corso serale d'inglese, e leggeva libri di dietetica, libri sulle cure naturali delle malattie circolatorie, un libro sull'inquinamento atmosferico.

Ha cominciato una relazione amorosa con uno dei due studenti che tenevano il corso di yoga, e s'è appassionata alla musica barocca che piaceva molto al suo innamorato. Quando il corso di yoga è finito e il suo innamorato è scomparso dalla circolazione senza dirle niente, lei ha iniziato a fare delle passeggiate serali con un fornitore d'acqua minerale, sposato e con tre figli.

Così arriviamo al giugno d'un anno molto recente, mese in cui la donna s'è uccisa.

Bisogna dire che, nell'ufficio spedizioni in cui lavorava, circolavano spesso allusioni ai suoi incontri con il fornitore d'acqua minerale, attraverso ricorrenti battute di spirito sull'acqua minerale. D'altro canto quel fornitore, dopo aver tentato di convincerla ad abbandonare l'idea di andare in Norvegia e di non pensare più alla catastrofe atmosferica, senza però riuscirvi, aveva diradato le sue visite serali fino al punto di scomparire anche lui senza dir niente.

Era invece riapparso il maestro di yoga. La donna lo cercava spesso, ma lui mostrava di non volerne più sapere di quella relazione.

Una sera di giugno, nell'ora di chiusura dell'ufficio, la donna ha sorpreso una conversazione tra due impiegati che ridacchiando parlavano della fortuna dei venditori d'acqua minerale, e della "grazia di Dio" che uno di loro aveva per le mani. La donna allora li ha sfidati: "Volete favorire anche voi?", cominciando a sbottonarsi la camicetta e slacciarsi la sottana. E stava continuando a spogliarsi, quando veniva immobilizzata, rivestita di forza e accompagnata fuori.

Quella sera invece di tornare subito a casa è andata a fare due passi sulla piazza di Chioggia. È arrivata fino alla darsena a guardare il mare, poi s'è fermata accanto a una colonna veneziana attorno alla quale passavano e ripassavano dei ragazzi in motorino. Verso le otto e mezza il passeggio s'era già diradato, c'erano soprattutto turisti e giovanotti in canottiera nei bar all'aperto, lungo i vecchi portici.

In uno di quei bar il maestro di yoga stava discutendo di calcio. La donna è andata a parlargli, dicendo che si sentiva sola e lo amava. Il maestro di yoga le ha risposto in tutta franchezza che lei lo deprimeva, perché stare vicino a qualcuno che pensa sempre alla catastrofe del mondo è deprimente. La donna gli ha voltato le spalle e se n'è andata.

Ha fatto un giro fino al porto, gremito di barche da pesca, macchine e motorini lungo il canale, gente seduta davanti alle porte che prendeva il fresco, ragazzi che sciamavano dentro e fuori da una sala di videogiochi. Qui, verso le nove, qualcuno che la conosceva l'ha chiamata, ma la donna non ha risposto.

Appena a casa ha sigillato porte e finestre con asciugamani bagnati, ha aperto il gas della cucina, e ha messo un disco di musica barocca. Due conoscenti che passavano di lì, marito e moglie, sentendo la musica e vedendo le luci accese attraverso le finestre del pianoterra, hanno suonato il campanello. Ma la donna all'interno non ha risposto; era occupata ad annaffiare le piante che aveva in casa e ad avvolgerle in cappucci di nylon.

Mentre i due conoscenti cominciavano a bussare alla porta, la donna s'è seduta per terra, s'è avviluppata tutta la testa dentro un maglione bianco, e tutto il corpo in un telo di nylon come quelli usati per la spedizione di merci. Poi, così fasciata, s'è distesa sul pavimento.

Era una serata ancora luminosa, con qualche nuvola all'orizzonte. Un'ora prima il cielo era tutto coperto, poi un movimento d'aria era arrivato da oriente, e brandelli di cumuli volavano adesso sul lungo ponte che attraversa la laguna. I due conoscenti s'erano allontanati d'un centinaio di metri, e stavano per salire in macchina con l'intenzione di andare a Chioggia a mangiare un gelato, quando c'è stata una grande esplosione nella casa della donna.

La donna è morta appena arrivata all'ospedale; per quale motivo si fosse tutta avvolta così, come un pacco, e si fosse chiusa la bocca con un nastro adesivo, e anche gli occhi e il naso, e persino il sesso con un nastro adesivo, nessuno è riuscito a spiegarlo.

COME UN FOTOGRAFO È SBARCATO NEL NUOVO MONDO

Ca' Venier più che un paese vero e proprio è una zona di case sparse lungo il Po di Venezia, prima che il fiume si dirami nei due grandi bracci del Po di Pila e del Po di Gnocca, verso le sacche lagunari e poi il mare. In quel posto ciò che si vede all'intorno, più o meno da ogni punto dello spazio, sono solo distese di campi coltivati soprattutto a grano; più oltre verso Ca' Zullian spuntano all'orizzonte gli acquitrini, ma dovunque strade dritte a perdita d'occhio attraversano terreni piatti e sempre identici che sono vecchie lagune ora interrate.

Niente di meno fotografabile di questo paesaggio, per la sua piattezza e uniformità fino alle frange di terra che si spingono nel mare. E in mezzo al mare spuntano qua e là isolotti che spesso hanno la forma di lingue di sabbia; alcuni di questi emergono solo con la bassa marea, mentre altri, divenuti insediamenti d'erbe che trattengono il fango portato a mare dal grande fiume, mostrano in distanza ciuffi di giunchi e altre piante adatte all'ambiente salmastro, e vengono chiamati "barene".

Un fotografo un giorno è stato mandato a fotografare queste zone, come inviato d'un settimanale ad alta diffusione. Le sue foto dovevano apparire a commento d'un testo che un celebre scrittore avrebbe scritto, a proposito della "umile gente alle foci del Po".

Dopo aver fotografato i canali al tramonto, qualche donna infagottata che raccoglieva erbe lungo una strada, qualche vecchietta piegata in due che trasportava sulla schiena fasci di cannella palustre, i gabbiani su una laguna, un barcone sulle acque, il fotografo non aveva più idee e stava per tornarsene a casa. E proprio allora ha sentito dire che da quelle parti le donne vanno al cimitero a parlare con i morti, intrattenendosi davanti alle lapidi in vere conversazioni con i defunti della loro famiglia.

Ha dunque deciso di fotografare qualche donna intenta a conversare con un morto. Appostatosi nel cimitero di Ca' Venier un pomeriggio, con un lunghissimo teleobiettivo scattava di nascosto qualche istantanea. Dopo di che ha spedito i negativi al suo settimanale, e se n'è andato a Venezia per il fine settimana.

Nelle foto scattate al cimitero di Ca' Venier in realtà non si vedeva quasi niente, tranne una donna vestita di nero che faceva un gesto con le labbra socchiuse davanti a una lapide. La redazione del settimanale ha chiesto al fotografo di tornare da quelle parti, entrare in contatto con qualcuno, farsi spiegare esattamente cosa dicono i morti, e magari scattare qualche foto con pose più drammatiche; questo per dare ai lettori un'idea più precisa di quanto avveniva in quei cimiteri.

Tornato dunque da quelle parti il fotografo capitava in un altro cimitero, dove tentava di avvicinare (e di intervistare di nascosto, con un minuscolo microfono incorporato in un bottone della sua giacca) una donna vestita di nero che era inginocchiata davanti a una lapide. Ma questa, oltre a non rispondergli, non lo guardava neanche in faccia e abbandonava immediatamente il luogo assieme alle altre donne che sostavano tra le tombe.

Ritrovatosi solo e senza saper cosa fare, il fotografo s'è accorto d'essere osservato a distanza da un uomo magrissimo. Costui, come subito apprendeva, era il sorvegliante di quel cimitero.

A differenza delle sue compaesane l'uomo magrissimo si tratteneva a parlare con lui. Lo informava che lì i morti si confidano solo con le donne, e, dopo aver fumato una sigaretta offertagli dal fotografo, gli raccontava tutta la sua vita e lo invitava a casa sua.

Era nato in una delle lagune ora interrate e per moltissimi anni aveva fatto il conducente di caccia, vivendo in una capanna di paglia dove i cacciatori di folaghe lo andavano a cercare per farsi guidare attraverso valli e paludi. Egli era stato poi acquistato da un petroliere di Ravenna che teneva un'imbarcazione alle foci del Po, alla quale lui doveva badare per il periodo invernale, e sulla quale serviva come marinaio e pescatore quando il petroliere aveva voglia di uscire in alto mare. Vendendo l'imbarcazione, il petroliere aveva venduto anche l'uomo magrissimo assieme a tutta l'attrezzatura da pesca, ad acquirenti che non venivano mai da quelle parti; l'uomo quindi svolgeva ancora il lavoro di badare all'imbarcazione, ma poteva anche fare altre cose, come andare a pescare sulla propria barca e sorvegliare il cimitero.

Il volto dell'uomo era molto raggrinzito, solcato dovunque da rughe. In testa portava una specie di colbacco di peluche, e sotto la giacca una camicia a quadri da cowboy.

Soltanto quando sono stati seduti a tavola a casa dell'uomo, una casa che consisteva in una sola stanza arredata con mobili nuovi e lustri, il fotografo s'è accorto che al vecchio pescatore mancavano tre dita della mano destra. Dopo avergli raccontato la propria vita, l'uomo magrissimo ha anche voluto raccontargli come aveva perduto le dita che gli mancavano.

Subito dopo la guerra era stato per un periodo dalle parti di Chioggia, dove c'erano molti bunker tedeschi, e dove si trovavano dappertutto bossoli, cartucce e bombe a mano. I bambini svuotavano le cartucce e le bombe a mano, e facevano esplodere per divertimento la polvere da sparo. Così l'uomo aveva perso le sue dita: voleva aiutare un bambino a richiudere una bomba a mano per conservare un po' di polvere, ha fatto scattare un percussore, poi ha visto un dito volare in aria, un altro che gli penzolava dalla mano e il pollice non c'era più.

Continuando a parlare quasi sempre in dialetto, l'uomo magrissimo ha confidato al fotografo che lì nella mano dove una volta c'era l'indice (con l'altro indice mostrava il punto nel vuoto) a momenti lui sentiva male, un formicolio o un dolore come da artrite.

L'indice mancante era attraversato da una corrente; e lui capiva bene come funzioni l'ago d'una bussola, perché la corrente passando attraverso il suo indice puntava sempre da qualche parte come una bussola. Questa facoltà del suo indice di puntare in qualche direzione gli aveva fatto ritrovare molte cose perdute; perché a volte, se lui stava cercando una cosa, l'indice si metteva "a puntare".

L'uomo ha detto che una volta quel dito mancante gli ha anche fatto uno scherzo. Gli ha indicato tutti i risultati giusti delle partite di calcio, lui li ha trascritti su una schedina e stava per diventare milionario. Poi però aveva perduto la schedina prima di consegnarla ad una ricevitoria, e il dito gliel'ha fatta ritrovare solo la domenica successiva, dopo che lui ha saputo dalla televisione i risultati delle partite di calcio.

L'uomo magrissimo parlava molto seriamente. Il fotografo lo ascoltava divertito da quella serietà; tuttavia, essendo ormai tardi, ha voluto riportare il discorso sui morti che parlano al cimitero solo con le donne.

Il pescatore ha confermato che era così. Però se il fotografo era curioso di sapere cosa dicono i morti, forse chiedendolo al suo indice mancante lui poteva aiutarlo.

Ha quindi sollevato in alto la mano mutilata, e ha cominciato a picchiare nel vuoto le dita mancanti con l'altra mano. Intanto spiegava al fotografo che esistono punti, in qualche isolotto di sabbia o barena in mezzo al mare, dove si può sentire cosa dicono i morti; lui ne aveva trovati qualche volta andando a caccia o a pesca, ma sempre per caso e senza mai riuscire a rintracciarli in seguito.

Se adesso fosse riuscito a risvegliare l'indice mancante dandogli degli schiaffi, poteva darsi che quello indicasse una direzione, e così l'indomani loro potevano andarci.

Il fotografo divertito da quelle spiegazioni l'ha lasciato parlare fino al momento di andare a letto. Verso mezzanotte s'è addormentato su una branda offertagli dal pescatore.

Al mattino presto il pescatore l'ha svegliato dicendo che il suo dito "puntava"; bisognava fare in fretta, andare dove mandava il dito.

Con la vettura del fotografo si dirigevano verso un punto oltre il villaggio di Pila, dove un canale tra due zone paludose porta al mare aperto. Qui salivano su una barca che l'uomo magrissimo teneva tra i falaschi, e cominciavano a remare al largo.

Il resto di quel viaggio diventava per il fotografo un'avventura sempre più strana. Remando verso isolotti e barene lontane, alcune piene di uccelli mai visti, il pescatore declinava fantastici nomi attribuiti a quelle isole in mezzo al mare, Barea, Zoaglia, Ca' Morta, Morosina, Pegaso, Bacucca.

Finché puntando verso una piccola duna sull'acqua, piena di uccelli che fuggivano al loro arrivo e che il suo accompagnatore chiamava Nuovo Mondo, il fotografo ha capito che erano giunti a destinazione.

E qui, dopo aver sollecitato il fotografo a sbarcare in fretta e mettersi ad ascoltare i morti, il pescatore voltava la barca abbandonandolo tra il fango e i giunchi su qualche metro quadrato di terra, non senza avergli spiegato — ma già con le spalle voltate, remando e allontanandosi — che il dito mancante l'aveva portato al Nuovo Mondo e lo stesso dito aveva ordinato che ci restasse.

COM'È COMINCIATO TUTTO QUANTO ESISTE

C'è un uomo molto vecchio e sdentato che dice di sapere com'è cominciato tutto quanto esiste. Se n'è accorto una notte guardando il cielo, e dopo l'ha studiato nei libri.

Quando l'ho conosciuto questo vecchio era all'ospedale da molti mesi, avvolto in garze e dentro un pigiama di tela grigia fornitogli dagli infermieri. Nello stanzone dove mangiavamo il suo posto era in un angolo, sotto una statuetta di Cristo col lumicino verde. Nello stanzone la televisione era sempre accesa e gli infermieri, servendo il cibo, scherzavano sempre sul fatto che a lui così vecchio le donne non interessavano più, e dunque era in pace col mondo. Il vecchio sorrideva appena e alzava gli occhi a guardare la televisione.

Dopo pranzo andavamo a passeggiare sul viale maggiore dell'ospedale, lui in pigiama col cappello in testa e le mani dietro la schiena. Se qualche altro malato lo invitava a prendere un caffè nel bar sul viale, frequentato da dottori, infermieri, studenti di medicina e visitatori, lui rifiutava dicendo che è meglio se i malati non si mescolano con i sani. Beveva il caffè d'un distributore automatico, in piedi, dentro uno sgabuzzino pieno di scritte oscene sui muri.

Secondo lui tutto è cominciato in questo modo: che

c'era un polverone lassù, nel buio senza fine. Quando dice buio senza fine vuol dire che non si può immaginare dove quel buio finiva.

Il buio era freddissimo, e c'era un freddo che avrebbe fatto congelare anche i sassi. Anche questo freddo noi non lo possiamo immaginare, perché non possiamo immaginare come succede che un sasso si congeli di dentro.

Attraverso il buio arrivava da tutte le parti un vento fortissimo che avrebbe portato via qualsiasi cosa, e anche quello non si può immaginare.

Nel buio freddo e battuto dal vento, l'unica cosa esistente era un gran polverone, forse sospeso in un punto. Non sa se c'era sempre stato.

Comunque secondo lui è successo che il vento, spirando così forte da tutte le parti, ha spinto i granelli di polvere l'uno contro l'altro. E i granelli, sbattendo con una forza incredibile, si scalfivano e facevano scintille.

È come quando si sfregano due pietre, perché infatti le pietre sono granelli di polvere pressati assieme.

Da quelle scintille secondo lui è nato il fuoco. Ma deve anche essere successo che i granelli di polvere pressati assieme dal fortissimo vento hanno formato dei pietroni lanciati nel buio senza fine, i quali poi scontrandosi si incendiavano per l'urto.

Così dunque sono nate delle piccole stelle.

Adesso bisogna guardare come fa il fuoco. Intorno al fuoco ci sono sbuffate di caldo che si possono sentire con la mano. Lo stesso è successo lassù: sono sorte sbuffate di caldo che hanno poi fatto evaporazione per il grande freddo, come quando i vetri si appannano.

Per via del grandissimo freddo tutt'attorno, le sbuffate di caldo hanno formato una vescica. È una vescica con una pellicola di ghiaccio: perché il caldo che va verso il freddo contrasta, ma se il freddo è forte gela. Basta guardare la pellicola di ghiaccio che si forma sui vetri d'inverno.

L'universo è una grande vescica spinta qua e là nel buio dal fortissimo vento, ma standо quaggiù noi non possiamo accorgercene. Però se non fossero nella vescica le stelle si spegnerebbero per via del fortissimo vento.

Quando guarda le stelle di notte vede che brillano, e questo vuol dire che sono pietroni incendiati. Poi se uno guarda come gira tutto il cielo nella notte, vede che in questa vescica tutto si muove sempre.

Lui non sa perché quei pietroni continuano a girare dentro la vescica. Dicono che c'è anche la forza di gravità che spinge, ma questo lui non può dirlo perché non è uno scienziato.

Un giorno la vescica scoppierà e tutto ricomincerà da capo. È anche possibile che, andando sugli altri pianeti a esplorare, un giorno gli astronauti buchino la vescica e allora tutto finirà di colpo.

Forse il fortissimo vento che ha creato tutto è Dio. Ma non sarebbe Dio come lo insegnano in chiesa, perché non si riesce a immaginarlo.

Dio sarebbe un grande vento che viene dal buio senza fine.

Un giorno passeggiando per i vialetti dell'ospedale il vecchio ha visto della polvere per terra, spostata a mulinello dal vento. Si è fermato a guardarla e mi ha detto che quella polvere viene dagli spazi tra le stelle, come tutta la polvere che esiste, e a questo nessuno ci pensa mai.

Sulla terra ognuno è fatto di polvere venuta giù dal cielo, e quando uno muore la sua polvere continua ad esistere ma deve cambiare di apparenza. Lui sa che quando muore diventerà una zanzara.

I vecchi e suo padre dicevano che le zanzare sono i morti che tornano; ma questo forse solo dalle sue parti dove c'erano molte zanzare per via delle paludi. Poi hanno bonificato tutto e prosciugato le valli del delta, e adesso ci sono pochissime zanzare e lui non sa cosa può succedere.

Comunque ha già detto ai suoi amici: "Quando io muoio e tu vedrai una zanzara che ti viene in casa, non mandarla via perché sono io che ti vengo a trovare."

GIOVANI UMANI IN FUGA

Nella parte di queste pianure che va verso i monti, a sud del grande fiume, in quel tempo non lontano esisteva un grandissimo locale da ballo con in cima una scritta luminosa che si vedeva in distanza nelle campagne. Da una vicina città delle piastrelle, fatta di strade dritte e fabbriche e quartieri di palazzoni condominiali in mezzo a terreni devastati, arrivavano qui ogni sera migliaia di macchine che riempivano l'enorme piazzale antistante. A fine settimana un po' da ogni parte, dalle tre maggiori città vicine, dalle campagne attorno e dai paesini più lontani nella bassa zona del fiume, arrivavano individui motorizzati a far ressa in quel posto, il quale richiamava più gente di qualsiasi altro locale da ballo della zona.

C'erano spesso spedizioni di bande mandate dai padroni di altri locali a spaccare tutto, creare disordini con feriti e contusi, e così farlo chiudere. Per questo il padrone del grandissimo locale aveva assoldato dei poliziotti che dovevano intervenire appena qualcuno litigava o alzava le mani o tirava fuori un coltello.

I poliziotti lo portavano in uno stanzino e lo picchiavano a lungo in testa col manganello, per fargli passar la voglia di tornare in quel posto, prima di buttarlo fuori a calci da una porta di servizio.

I poliziotti in quello stanzino picchiavano a lungo e in un modo particolare, così da non lasciar traccia. Infatti non avevano diritto di arrestare e tanto meno di picchiare la gente, in quanto lavoravano nel locale quando erano fuori servizio per guadagnarsi un altro stipendio; benché poi il padrone del locale passasse uno stipendio anche ai superiori dei poliziotti, sempre disposti a dichiarare che i loro uomini erano in servizio, in caso di necessità.

In una rissa i poliziotti col manganello hanno trascinato via un ragazzo e gli hanno sfondato una tempia; e quando i compagni del ragazzo si sono precipitati nello stanzino hanno trovato soltanto il loro amico morto disteso su un tavolo.

È sopraggiunto il padrone del locale dicendo che dovevano fuggire alla svelta se non volevano venire arrestati, perché la polizia stava arrivando. Così i quattro fuggivano dalla porta di servizio portandosi dietro l'amico morto.

Stavano correndo nella notte verso la città delle piastrelle. Dopo una curva si sono accorti che sulla strada c'era un posto di blocco dei carabinieri, e all'ultimo momento deviavano per un viottolo in mezzo ai campi, mentre un carabiniere sparava una raffica di mitra perforando il motore d'una delle loro macchine.

I quattro abbandonavano la macchina colpita e con l'altra fuggivano a fari spenti per i campi; decidevano di non tornare a casa per non essere arrestati.

Si sono diretti a nord verso il grande fiume, perdendosi per strade secondarie a scacchiera che portano da tutte le parti. All'alba si sono ritrovati in una zona completamente deserta, sotto un cielo che minacciava pioggia, non lontani da una fabbrica di rifugi antiatomici che esiste tutt'ora e di cui avevano sentito parlare. E quando sono sbucati su uno stradone dritto percorso solo da camion, è stato il grande cartello pubblicitario di quella fabbrica che li ha aiutati a capire dov'erano.

Sotto il grande cartello pubblicitario hanno incontrato un venditore di tappeti arabo, che stava disponendo la sua merce sul ciglio della strada: tappeti, orologi a pendolo, accendini, soprammobili in legno. Intorno c'erano caseggiati scuri con porte e finestre chiuse, nessuno passava di lì tranne camion a gran velocità.

In un colloquio con l'arabo i quattro hanno appreso che, proseguendo su quella strada fino al fiume, nei pressi d'un ponte c'era un accampamento di stranieri senza casa, jugoslavi, africani, zingari, altri stranieri che vivevano in baracche all'interno d'un perimetro di filo spinato. Si trattava di stranieri senza documenti, che arrivavano da quelle parti per lavorare e venivano messi in quel campo in attesa d'essere rispediti a casa o sistemati da qualche parte. Dall'arabo hanno anche appreso che chiunque in realtà poteva entrare nel campo attraverso il filo spinato, e che nessuno veniva mai a controllare chi abitasse nelle baracche.

I quattro sono ripartiti. Poco dopo scoppiava un violento temporale, si sono persi di nuovo e attraversavano il fiume senza capire dove stavano andando. Si sono fermati nei pressi d'un deposito di carcasse d'auto, per informarsi e capire dov'erano. Dei cani lupo abbaiavano dentro il recinto del deposito, e quando uno di questi cani è scappato fuori sulla strada per assalirli, i quattro rimontavano in macchina e scappavano.

Seguendo una stradina di manutenzione che costeggiava un lungo muro grigio sotto l'argine, sono arrivati finalmente ad un recinto di filo spinato. Però si trattava di siepi di filo spinato intorno a cavalli di Frisia, e non vedevano nessun buco per intrufolarsi.

Hanno sentito colpi di fischietto, urla, uno sparo in aria, e nella pioggia vedevano arrivare di corsa dei soldati. Senza accorgersene avevano superato un cartello che diceva LIMITE INVALICABILE - ZONA MILITARE. Di nuovo dunque fuggivano, tornando indietro verso il ponte sul grande fiume.

Sugli argini del fiume due giorni dopo hanno rubato il telone d'un motoscafo ormeggiato a riva, e andavano verso la foce con l'amico avvolto in quel telone sul tetto della macchina.

Le campagne qui erano tutte più o meno disabitate; cartelli stradali indicavano località inesistenti, ossia posti dove le case erano state abbandonate o abbattute, e le nuove costruzioni in cemento erano vuote di gente. Ai margini d'un campo di granoturco hanno visto spaventapasseri fatti con bottiglie di plastica infilate su bastoni e sacchetti di nylon che sventolano.

Dopo un bivio dei ragazzi in motocicletta erano fermi a un passaggio a livello, dietro di loro una strada di campagna si snodava tra alte erbe e una fila di torri piene di fumo chiudeva l'orizzonte. Avrebbero voluto chiedere informazioni ai ragazzi in motocicletta, ma all'ultimo momento nessuno dei quattro ha avuto il coraggio di aprire bocca, e sono rimasti là a quel passaggio a livello senza decidersi; avevano paura di far sentire la loro voce e il loro accento, che non era di quelle parti.

Fermi su una stradina che scendeva dall'argine, osservavano un incrocio di viottoli in mezzo alle piane, dove il grano era già stato raccolto e un macchinario vagante trasformava il fieno in balle man mano che passava. Qui, dall'altra parte, vedevano il grande fiume pieno di rifiuti che galleggiavano fermi, bolle bianche come se una sostanza coagulante fosse stata sciolta nell'acqua e rendesse l'acqua immobile, nera nel complesso a parte le bolle bianche.

Su quell'argine è venuto verso di loro un arrotino. Questo girava su un vecchio motociclo, col sidecar e un altoparlante per richiamare la gente delle villette e case geometrili che si vedevano oltre i campi. L'arrotino s'è fermato e li ha salutati; s'è messo a chiacchierare da solo divagando molto, e infine ha parlato in dialetto d'una zona chiamata "la sacca dei morti", che secondo lui si stendeva in una laguna a una trentina di chilometri di lì.

I quattro provenivano da una regione molto lontana e non capivano i dialetti di questi posti, dunque non hanno capito bene di cosa parlasse l'arrotino; però è rimasto loro in mente il nome di quella zona.

Su una strada malamente asfaltata, davanti a una villa signorile con giardino e fontana zampillante, avevano sete. Non erano riusciti a trovare da nessuna parte una fontana pubblica, e non osavano entrare nei bar. Erano dunque entrati nel giardino e stavano bevendo allo zampillo, quando è parso loro di vedere un vecchio in mutande e ciabatte, col giornale in mano, che correva a nascondersi dietro un angolo.

Sono corsi dietro quell'angolo e non c'era nessuno; fiocchi di polline volavano nell'aria, e una voce nella casa s'è messa a strillare: "Aiuto, i ladri!"

I quattro cominciavano a tremare dalla testa ai piedi, rimontavano in macchina e fuggivano sempre tremando per circa un'ora.

Andando trovavano una chiusa, e lì cominciavano canali lunghissimi tra alte sponde di canne ed erbe palustri; in fondo si vedevano acquitrini con muschi in superficie. Più avanti un campo di calcio vuoto sotto un argine attirava i loro occhi, e non riuscivano a smettere di guardarlo. Da quando erano venuti ad abitare nella città delle piastrelle non s'erano mai mossi, e nei luoghi in cui adesso stavano vagando tutto appariva loro insolito, inusitato.

Avrebbero sentito riparlare della sacca dei morti (la zona di cui aveva parlato l'arrotino) quella notte stessa.

Su una strada che correva tra campagne buie, da un lato vedevano le luci d'una metanopoli ordinate a scacchiera come una città nei deserti della luna, e dall'altra in distanza una luce verde che si accendeva e spegneva in continuazione.

Un tale chiamato Mazinga aveva una roulotte su una strada da quelle parti, dove vendeva panini e bibite e gelati industriali ai viandanti che si perdevano tra le lagune. Chiamava quel posto il suo "aeroporto", e per questo aveva installato sulla roulotte una luce verde intermittente, del tipo usato negli aeroporti per segnalazioni.

Correndo per le campagne buie i quattro si sono accorti che avevano fame, perché non mangiavano da molto tempo. Inoltre, dopo quello spavento nella villa signorile, tremavano spesso tutti e quattro assieme senza motivo apparente, e ciò li rendeva ancora più disorientati. Per orientarsi nella notte hanno seguito la luce verde intermittente, giungendo infine all'aeroporto di Mazinga.

Nella roulotte hanno comprato panini e bibite. L'uomo della roulotte, dopo averli serviti, s'era seduto su una sedia a sdraio a guardare una piccola televisione portatile; era un ometto grasso con un berretto da baseball in testa, un cartello sulla sua roulotte diceva MAZINGA OPEN NIGHT AND DAY.

Mangiando i panini in piedi i quattro amici si sono accorti che l'uomo della roulotte parlava da solo guardando la televisione. Poi si sono anche accorti che parlava di loro, borbottando tra sé. Borbottava tra sé frasi del genere: che li avrebbero presi, come tutti; che sarebbero stati con loro più carogne del solito, perché erano innocenti; che li avrebbero stroncati o trasformati in bestie violente come loro; che così succede in questo mondo e non ce n'è un altro, non può esserci altro, non c'è da sperare altro.

Forse l'uomo aveva letto la loro storia sui giornali; comunque sapeva tutto di loro e borbottava tra sé queste frasi.

Hanno ricominciato a tremare dalla testa ai piedi, i quattro amici; e siccome il più giovane di loro batteva i denti tanto forte da produrre un'eco nella notte, l'uomo della roulotte s'è voltato a vedere cosa succedeva. Ha scosso la testa ed è tornato a guardare la sua televisione.

Guardando la televisione ha detto che l'unico modo di salvarsi era di andare nella sacca dei morti. "Solo nella sacca dei morti si è in salvo," ha detto. Poi ha spiegato dov'era quel posto, ha spento la televisione e senza guardarli è andato a letto.

L'indomani verso mezzogiorno, viaggiando in zone del delta senza nessuna direzione, i quattro hanno fatto sosta in un paesino in cerca di cartine stradali. Volevano trovare il posto indicato dall'uomo della roulotte.

Lungo un canale c'erano vecchie case di pescatori abbandonate, e dall'altra parte della strada case nuove piene di panni stesi, con molti motorini e biciclette e macchine davanti alle porte. Uomini in canottiera stavano lavando le macchine o chiacchieravano fumando sulle porte; dalle finestre le donne parlavano in lunghe cantilene, e sugli spiazzi davanti alle case i bambini sembravano gli unici a notare la loro macchina che passava.

In un bar affollato di uomini vestiti di nero, cercavano qualcuno a cui chiedere dove potevano trovare delle cartine stradali. La donna che serviva al bar non capiva le loro parole, il loro accento, e continuava a scuotere la testa servendo altri clienti. Nessuno degli uomini in piedi ha mostrato di notare la loro presenza; erano tutti presi da una discussione su un avvenimento politico riportato su un giornale, e qualcuno parlando sventolava il giornale in faccia agli altri.

Non lontano dal bar s'era fermato un pullman di turisti che venivano accompagnati a vedere le foci del grande fiume. Una guida arringava i visitatori col megafono, e la sua voce sembrava furibonda.

Ad un tratto la voce ha cominciato a imprecare perché un'anziana turista s'era sentita male sotto il sole. E quando la turista è crollata al suolo, la voce sbraitava di portarla in pullman, che non c'era tempo da perdere; accorrevano altri turisti urlando come se fossero disperati, il guidatore del pullman suonava il claxon perché aveva fretta, e anche dei ragazzi in motorino si mettevano a suonare tutti i loro claxon assieme.

I quattro fuggivano sconvolti, dovevano correre alla macchina e ripartire in fretta. Ormai qualunque cosa li spaventava, facendoli tremare dalla testa ai piedi.

Senza cartine stradali non sapevano dove andare. Mentre guidavano alla cieca un sasso ha fatto scoppiare una gomma della macchina e finivano in un fosso.

Hanno abbandonato la macchina. Portandosi dietro l'amico morto si sono avviati tra le paludi, in zone di canne e falaschi oltre le quali c'è solo il mare. Quando hanno ricominciato ad avere fame si sono messi a piangere; hanno pianto per tutta una notte e tutto un giorno, seduti per terra.

Sempre piangendo hanno cercato di seguire sentieri che non esistevano, camminando in cerca di qualcosa tra le lagune, spesso sprofondando in buche d'acqua o in sabbie mobili. Alla sera, affamati e infreddoliti, si addormentavano piangendo e piangevano anche durante il sonno.

Una mattina si sono svegliati e si sono accorti che avevano smesso di piangere, avevano anche smesso di tremare. Davanti a loro c'era una baracca fatta di lamiera ondulata, col tetto in eternit; era il posto indicato da Mazinga.

Nella baracca c'erano i resti d'uno spuntino che qualcuno doveva aver interrotto all'improvviso, anni e anni prima. Le coperte su due brande, dissolte dal tempo, erano diventate uno strato di polvere. Molte zanzare ronzavano nella baracca, e dalla porta si vedeva una barca ancorata a un pontile d'assi nere e marcite tra le canne.

Su quella barca sono andati in alto mare, e hanno lasciato scivolare in acqua il loro amico morto. Dopo non sapevano risolversi a tornare indietro e hanno continuato a remare; avevano l'idea che, continuando a remare, sarebbero arrivati da qualche parte.

INDICE

Temi principali

1. la'isolazione / alienazione
p102 - Mio zio
p65 - Dagli Aeroporti
p21 - Bambini Pendolari
la nebbia p67, 103, 25

. Personaggi sui margini della società
p21 - bambini pendolari
p26 - i calciatori
p38 - barbiera
p65 - dagli aeroporti
p86 - eremità
• non un "everyman" - val la pena di raccontare
• personaggi non tipici

3. Fabulazione
A. Lo scriba
· lasciar parlare il personaggio
· dare la storia al pubblico, prendendo una distanza
· il narratore filtra le parole della gente attraverso la scrittura.
p38 - barbiere - non fa un commento
B. L'oralità / tradizioni
· registrazione della memoria / esperienza
· mettere in parole scritte p32 Apprendi:
· lui ascolta le storie p26
C. contatto umano - communicazione p11-13
ceremonie sociali / abitudine p32

SEMPRE IN "UNIVERSALE ECONOMICA"

Sibilla Aleramo, *Amo dunque sono*

Sibilla Aleramo, *Andando e stando*. Cura di R. Guerricchio

Sibilla Aleramo, *Una donna*. Prefazione di M. Corti

Sibilla Aleramo, *Il passaggio*. A cura di B. Conti

Gianni Amelio, *Il ladro di bambini*

Silvia Ballestra, *Gli orsi*

Alessandro Baricco, *Barnum*. Cronache dal Grande Show

Alessandro Baricco, *Barnum 2*. Altre cronache dal Grande Show

Alessandro Baricco, *Novecento*. Un monologo

Stefano Benni, *Ballate*

Stefano Benni, *Baol*. Una tranquilla notte di regime

Stefano Benni, *Il bar sotto il mare*

Stefano Benni, *Bar Sport*

Stefano Benni, *Bar Sport Duemila*

Stefano Benni, *Blues in sedici.* Ballata della città dolente

Stefano Benni, *Comici spaventati guerrieri*

Stefano Benni, *La Compagnia dei Celestini*

Stefano Benni, *Elianto*

Stefano Benni, *Prima o poi l'amore arriva*

Stefano Benni, *Teatro*

Stefano Benni, *Terra!*

Stefano Benni, *L'ultima lacrima*

Stefano Benni, Pirro Cuniberti, *Stranalandia*

Giorgio Bettinelli, *In Vespa.* Da Roma a Saigon

Luciano Bianciardi, *Il lavoro culturale*

Franco Bompieri, *Il freddo nelle ossa*

Bruno Brancher, *Disamori vecchi e nuovi*

Bruno Brancher, *Tre monete d'oro.* Prefazione di O. del Buono

Pino Cacucci, *Camminando.* Incontri di un viandante

Pino Cacucci, *Forfora e altre sventure*

Pino Cacucci, *La polvere del Messico*

Pino Cacucci, *Punti di fuga*

Pino Cacucci, *San Isidro Futból*

Rossana Campo, *L'attore americano*

Rossana Campo, *In principio erano le mutande*

Rossana Campo, *Mai sentita così bene*

Rossana Campo, *Il matrimonio di Maria*

Rossana Campo, *Il pieno di super*

Paola Capriolo, *La grande Eulalia*

Paola Capriolo, *Il Nocchiero*

Ermanno Cavazzoni, *Il poema dei lunatici*

Ermanno Cavazzoni, *Vite brevi di idioti*

Gianni Celati, *Le avventure di Guizzardi*

Gianni Celati, *Avventure in Africa*

Gianni Celati, *La banda dei sospiri*. Romanzo d'infanzia

Gianni Celati, *Lunario del paradiso*

Gianni Celati, *Quattro novelle sulle apparenze*

Gianni Celati, *Verso la foce*

Giorgio Celli, *Sotto la quercia*. Un giallo con appendice horror

Cristina Comencini, *Il cappotto del turco*

Cristina Comencini, *Passione di famiglia*

Erri De Luca, *Aceto, arcobaleno*

Erri De Luca, *In alto a sinistra*

Erri De Luca, *Non ora, non qui*

Erri De Luca, *Una nuvola come tappeto*

Erri De Luca, *Tu, mio*

Cesare De Marchi, *Il talento*

Mariateresa Di Lascia, *Passaggio in ombra*

Paolo Di Stefano, *Baci da non ripetere*

Cesare Fiumi, *La strada è di tutti*. On the road, sulle piste di Jack Kerouac. Prefazione di F. Pivano

Enrico Franceschini, *La donna della Piazza Rossa*

Elena Gianini Belotti, *Adagio un poco mosso*

Elena Gianini Belotti, *Pimpì oselì*

Francesco Guccini, *Cròniche epafániche*

Francesco Guccini, *Vacca d'un cane*

Lorenzo "Jovanotti", *Il Grande Boh!*

Peppe Lanzetta, *Figli di un Bronx minore*. Prefazione di R. Arbore

Peppe Lanzetta, *Un Messico napoletano*

Peppe Lanzetta, *Una vita postdatata*. Lampi e tuoni dal Bronx napoletano

Daniele Luchetti, *Il portaborse*. Sceneggiatura di S. Petraglia, S. Rulli, con la collaborazione di D. Luchetti

Maurizio Maggiani, *Il coraggio del pettirosso*

Maurizio Maggiani, *màuri màuri*

Maurizio Maggiani, *La regina disadorna*

Franca Magnani, *Una famiglia italiana*

Raul Montanari, *La perfezione*

Sebastiano Nata, *Il dipendente*

Francesco Piccolo, *E se c'ero, dormivo*

Francesco Piccolo, *Storie di primogeniti e figli unici*

Claudio Piersanti, *L'amore degli adulti*

Claudio Piersanti, *Charles*

Claudio Piersanti, *Luisa e il silenzio*

Andrea G. Pinketts, *Io, non io, neanche lui*

Andrea G. Pinketts, *Lazzaro, vieni fuori*

Andrea G. Pinketts, *Il senso della frase*

Andrea G. Pinketts, *Il vizio dell'agnello*

Sergio Ramazzotti, *Vado verso il Capo*. 13.000 km attraverso l'Africa

Gianni Riotta, *Cambio di stagione*

Corrado Ruggeri, *Farfalle sul Mekong*. Tra Thailandia e Vietnam

Isabella Santacroce, *Destroy*

Isabella Santacroce, *Fluo*. Storie di giovani a Riccione

Isabella Santacroce, *Luminal*

Tiziano Scarpa, *Venezia è un pesce*. Una guida

Leonardo Sciascia, *Il contesto*. Una parodia

Michele Serra, *Il nuovo che avanza*

Michele Serra, *Poetastro*. Poesie per incartare l'insalata

Michele Serra, *Il ragazzo mucca*

Domenico Starnone, *Denti*

Domenico Starnone, *Eccesso di zelo*

Domenico Starnone, *Ex cattedra*

Domenico Starnone, *Fuori registro*

Domenico Starnone, *La retta via*. Otto storie di obiettivi mancati

Domenico Starnone, *Il salto con le aste*

Domenico Starnone, *Segni d'oro*

Domenico Starnone, *Solo se interrogato*. Appunti sulla maleducazione di un insegnante volenteroso

Antonio Tabucchi, *L'angelo nero*

Antonio Tabucchi, *I dialoghi mancati*

Antonio Tabucchi, *Il filo dell'orizzonte*

Antonio Tabucchi, *Il gioco del rovescio*

Antonio Tabucchi, *Piazza d'Italia*

Antonio Tabucchi, *Piccoli equivoci senza importanza*

Antonio Tabucchi, *Requiem*

Antonio Tabucchi, *Sostiene Pereira*. Una testimonianza

Antonio Tabucchi, *La testa perduta di Damasceno Monteiro*

Annamaria Testa, *Leggere e amare*

Giuseppe Tomasi di Lampedusa, *Il Gattopardo*

Giuseppe Tomasi di Lampedusa, *I racconti*

Pier Vittorio Tondelli, *Altri libertini*

Pier Vittorio Tondelli, *Pao Pao*

Sandro Veronesi, *Venite venite B-52*

Stampa Grafica Sipiel
Milano, giugno 2000